LOVE EXERCISE & MASQUERADE

恋爱习题与假面舞会

爱礼丝　著

PRODUCER _ JIN LIHONG LI BO JING M,GUO
CHIEF EDITOR _ CHENXI SEVEN / CONTRIBUTING EDITOR _ HENHEN [FROM CASTOR]
VISION ART _ SHANGHAI CASTOR [CA@ZUIBOOK.COM] / COVER ART _ ADAM.X [FROM CASTOR]
TYPESET ART _ ALICE.L FREDIE.L R.JOBIM [FROM CASTOR] / ILLUSTRATION _ EPHEMERA[FROM CASTOR]
MEDIA COORDINATOR _ ZHAO MENG / PRINTING MANAGER _ ZHANG ZHIJIE
INTERNET SUPPORT _ SHANGHAI CASTOR [WWW.ZUIBOOK.COM]

CASTOR 2010 上海柯艾文化传播有限公司 & 长江文艺出版社

献给逝去的校园时光

你设下的谜局，叫做恋爱习题。
我所玩的游戏，叫做假面舞会。

C NTENTS

序言

隐性的偏执狂 · · · · · ·　006

恋爱习题

第一题 · · · · · · · ·　011

第二题 · · · · · · ·　　033

第三题 · · · · · · · ·　053

第四题 · · · · · · · ·　069

第五题 · · · · · · · ·　091

附加题 · · · · · · · ·　105

假面舞会

序曲 · · · · · · · ·　125

练习曲 · · · · · · · ·　141

变奏曲 · · · · · · · ·　155

波尔卡 · · · · · · · ·　171

无言歌 · · · · · · · ·　181

塔兰台拉 · · · · · · · ·　195

交响诗 · · · · · · ·　　207

随想曲 · · · · · · · ·　217

隐性的偏执狂
爱礼丝

　　现在回想起这本书的第一次出版，已经是 2007 年的事
了。说起来最初的写作契机是因为被人拒绝了，一边很想
找个地方躲起来，一边却还是会对自己说"喜欢一个人没
有什么好丢脸的"。于是就动笔写了这个"即使很丢脸，也
还是会喜欢你"的故事。

　　幸运的是，刊出之后的反应不错，才有了后来的连载、
出书。

　　被告知决定再版的时候，我所做的第一件事就是打开
文档，通读了当时的文字。

　　原本想要做的是把那些不成熟的地方统统改掉，然而
真正回过头再通读这部作品的时候，却有种无从下手的感
觉。确实有太多太多的感慨了，就好像打开了小时候埋下
的时间胶囊，那时候藏起来的宝物，虽然早就不是"宝物"
了，但对于现在的自己，又有另外一番珍贵的意义。

现在我正在着手对这个故事进行修订和整理，并补充一些新的细节。有时候甚至觉得比新写一部小说还要小心翼翼，生怕一不小心就破坏了那些早已远离的少女情怀。

其实在《恋爱习题》和《假面舞会》上市的时候，曾经对连载过的内容作过很大的改动，但在上市后，有很多人和我说，觉得很多连载时的内容删去了很可惜，于是，这次再版，我再次作了改动，收录了一些之前没有收录的连载时的内容。这样《恋爱习题》等于有了第三个版本。就像第一次出版的时候一样，身边的很多人都奇怪，说我浪费时间，都出版（连载）过一次了，你还改什么？但偏偏就是有这种执念，发现自己是隐性的偏执狂。

但我想这也会是最后一个版本。毕竟人是要向前走的，不能总是裹足不前。

也不该再去破坏过去的一些东西。

这个故事从中学写到大学，其实还有很多儿时的回忆。如果让我自己来形容，这就是一个关于少年时代的故事，有戏剧化的部分，但整个环境和生活状态却没有太多夸张的成分。对于我来说，那正是最熟悉、最值得怀念的校园时光。单纯、美好，有很多人和事铭刻在心里，现在回想起来，都好像是昨天刚刚发生的事情。

当然其中也有很多青涩不成熟的地方，但现在想来，也许以后我都无法再写出这样的文字了。

非常感谢我的朋友兼 boss 小四，让这本书有了出版的机会，还为书设计了这么漂亮的封面。

感谢羊同学和宾妮、年年、Kassy 在当时给了我很大的帮助。

最后把这本书献给：所有记忆里熠熠生辉的校园时光，和正在经历这段时光的你们。

LOVE EXERCISE
恋爱习题

● 如何向喜欢的男生告白?

○ 聂天逸：想尽办法出现在他的视野范围或者对他好，让他知道你是谁，坚持一个月以后突然消失，等他自己来找你咯。

○ 莫小薇：对自己有信心的话，就拉上几个姐妹把他堵住，在大家面前告诉他你的心情吧!

○ 夏汐：只要说清楚了，让对方可以明白就行了!

○ 芭儿：这个问题我 pass。

小提示：不要觉得先开口的人就会输，关键是在于告白以后如何把握两个人的关系!

01

关键词 : 告白。

【怎样告白被拒绝也不会那么丢脸？】是莫小薇在 Internet 上搜索的问题。一系列的回答中被选为最佳答案的是——

你是女生吗？你是那种内向的女生吗？如果是的话，就别告白了。理由 : 一 . 如果他对你有感觉的话，就让他主动吧 ; 二 . 如果他对你没感觉，那么你告白了也没用，只会给自己带来不必要的伤感。

貌似有些道理。

只可惜，莫小薇不是那种内向的女生。

"那个，可以喜欢我吗？"

"……对不起。"

让我们暂时把时间倒回刚刚开学不久的某个早晨。

青白的石砖围墙，新鲜的教室，表情陌生的同学。还来不及把写满答案的习题集当做废纸变卖，怀里便重新被塞进一堆内容艰涩的教科书。

城西中学高中部如同往年一样，迎来了一批新生。

莫小薇便是其中的一分子。

"呀呀，旗手是聂大少哦！"

"聂大少？"

"你以前不是西中的吧，他可是名人。"

"名人？"

"嗯，好喜欢他的！"重音停顿在"好喜欢"。

最初对聂天逸的印象源于刚入学时一次早操上的升旗仪式。站在队伍中，身边是一天前才结识的女生。对方用兴奋的口吻介绍着主席台上那个面孔不清的少年，一脸倾慕的表情。那段用目光测量起来比实际上更远的距离，让小薇觉得这个人是不会和自己有什么交集的。

甚至连真正的名字都不知道。

"喜欢他就去说咯，闷骚可不是好习惯。要不要……"故意拖长了尾音，"我帮你去？"

"莫小薇！！"

不仅仅是闷骚，还是大嗓门，没神经。

被开了玩笑的女生在升旗仪式上高吼出声来，当场触怒了教务处主任不谈，还在全体师生面前暴露了莫小薇的名字。

主任老师要她们下课后到办公室走一趟的时候，那个从主席台走回队伍里的家伙居然直接笑出了声来。

而且明显是嘲笑。

咬牙切齿地看过去，眼神有了一瞬的交汇。该怎样形容那样的眼神？懒散、漫不经心，还带着些揶揄。

"他叫什么？"

"天逸，聂天逸。很好听的名字吧？"

"好听个屁！"

02

秋日的阳光依然明媚得让人忽略了寒冬的临近，只是日光转换了一个角度，直直地落在了校园里某幢高楼的天台上。

这里是莫小薇心情不好时最喜欢来的地方，实验楼的楼顶。

人烟稀少，视野宽阔，当然最大的优点还是清净。

当然偶尔也会有不清净的时候……

"根本不是我的错！"

"可恶的中年秃头男！"

"那个聂什么什么的居然故意在笑我。"

"他明明可以自己偷着笑嘛！干吗来让大家都看我的热闹！"

"性格恶劣！自恋狂！人格分裂！"

在楼顶上叫叫嚷嚷的正是莫小薇，她攀坐在一根天台上随处可见的巨型管道上，迎着风伸了个懒腰。这种居高临下的感觉使得除了她的一切，都感觉渺小了起来。

"……比起我，你更像人格分裂吧。"

哎？为什么会有男生的声音？

从管道下站起身的少年紧皱着眉头，头发凌乱，半眯着眼，一副还没睡够的样子。他拍落衬衫上的灰尘，无可奈何地看着管道上扰人清梦的女生。尽管在升旗仪式上并没有看得很清楚，不过单凭他刚刚的发言，小薇也可以猜出眼前的少年就是她嘴里那个"聂什么什么"。

从长相上来说他确实有着让某些满脑子粉红泡泡的小女生变花痴的实力。

修长的四肢，略显白皙的皮肤，比大部分女生还要精致的五官，脸上带着漫不经心的笑容。白色的衬衫随意地解开了上两颗纽扣，露出的精致锁骨还真有几分诱人的味道。那么懒散地往那一站，简直是赤裸裸的勾引！

"呃……那个……"呆滞了几秒，小薇回过神来。

怎么办？她刚刚行为本来就已经相当怪异了，在说别人坏话的时候被本人抓住，对于莫小薇来说，也是人生中的第一次。

尚未决定好是装傻还是坦白从宽，对方就先开了口。

"你以前不是西中的吧？"

好像第二次被人这么说了，做贼心虚地点了点头，用眼角的余光瞥了对面的男生一眼，不知道对方为什么要问这个问题。

"这里是西中的禁地。"

"哎？"拜托，骗小学生的吧，是禁地的话，老兄你为什么在这里呢。

"信不信由你，这里可是死过人的，就死在你坐的附近。"见莫小薇惊叫着跳开，少年又补了一句，"地上还有血迹呢。"

下意识地向四周的地面看去，居然真的有土红色的不知道是什么的痕迹。

"我……我才不怕呢！"

"真的不怕？"

"当然。我又没做什么亏心事……"除了在对着空气说些别人的坏话，莫小薇心想，这算不上罪大恶极吧。

看见女生明明心虚却又故作镇定的样子，少年忍不住笑了出来。

"……这里，你还是别多来了。"

那你为什么要来？

莫小薇的话还没有来得及说出口，少年背过身就打算离开，她这才想起自己还有事情一定要说清楚，忙出声喊住了他。

"哎，那个……聂……"回忆了一会儿终于还是记起了他的名字，"……天逸同学！今天的事能帮我保密吗？"

"可以啊，只要你以后别来这里了。"

"为什么？"小薇来气了，"这儿又不是你家的，我为什么不能来？"

"那我说出去也没关系咯？"少年眼里闪过一丝狡黠的光。

"哎……怎么……如果教导主任知道我说他是秃头男就死定了！"

"原来如此！"焦急的小薇没有注意到少年压低了的笑声，聂天逸可不会告诉她是她自己出卖了自己。一直在管道下睡觉的他除了最后一句诋毁他的话，可完全没听见她之前的那些自言自语。

"如果你一定要来就来吧，但要答应我一个条件？"

"什么条件？"小薇狐疑地望着眼前的陌生少年，总有不好的预感。

她没有想到，在她点头答应那人的条件之后，就从此和这个藏着许多秘密的少年扯上了联系，甚至自己也纵身跳进了那些秘密的旋涡之中。

03

"数学小测你复习了？"

"还没呢……啊～这次死定了！"

"听说我们学校里死过人？"

"谁知道，每个学校不都有些这样的传说？"

"聂大少的女朋友是谁？"

"他才没有女朋友呢！要有也只能是我啊！就算让我数学小测不及格也可以……"

听着直升部（直接从这所学校初中部升学上来的）的女生们从每月的小考讨论到年级里的英俊男生，小薇还真是想不明白，她的死党芭儿究竟为什么当初坚持要考这所半数以上学生都是直升部的城西中学。都是些让人心烦的话题，可是比起被孤立，却还是要想办法融入她们已有的圈子。

然而矛盾的心情还不仅仅于此。

从聊天中可以了解，"禁地"的那家伙确实有让人追捧的资本，据说是遗传自美女模特母亲的容貌暂且不谈，成绩居然能和年级第一的芭儿并驾齐驱，并且从初中起就开始参加省市的田径比赛，在校长室里堆满了他的奖杯和奖牌。

简直是一个可以用十全十美来形容的男生。

不过要除去性格恶劣这一点……

目光移过去的时候不小心和男生有了一瞬的对接，在半空一滞便带着鄙夷的哼腔转向别处。

就是看不惯他那副什么都无所谓的笑容。

然而心里的一个声音应和了周围的女生说着好帅好帅，另一个则开始心浮气躁起来。

有个人却好像永远没有这方面的烦恼，午休刚开始就抱着篮球往教室外冲，身后"哗啦啦啦"地跟着一堆精力过剩的少年们。

空气里都飘浮着雄性荷尔蒙的味道，嗅觉灵敏的女生们，纷纷将目光集中在为首的那个拥有小麦色皮肤和健美体格，仿佛野生猫科动物般的少年身上。只是那个少年全然没有注意到，习惯性凑到小薇耳边，小声问她。

"今天，要不要来看我打球？"

"不要。"都看了十多年了，还不腻就怪了。

像是猜到她会这么回答，少年撇了撇嘴，"那我要护身符。"

语气里明显有了撒娇的味道，小薇摇了摇头，想起多年前第一次见他比赛的情形。明明在接近终局是一面倒的惨败，却偏偏被他逆转成了平手，当时他就把一切归功于她的"护身符"。

于是老老实实地双手握拳放在嘴边，闭上眼重复三遍"夏汐一定会赢"。一睁眼就看到少年正一眨不眨地望着自己，摊开双手摆在她面前，一脸期待。

手掌用力击了上去，发出清脆的响声。

"那我先走了！"

"还真像上班前向妻子打招呼的好老公。"芭儿凑过来嘟囔了一句，戏谑地看男生走远。

小薇赶紧堵上她的嘴，周围的女生们都狐疑地望着她们，这不，估计又要树敌了。

从小到大，只要和夏汐同班，她的女性朋友就只能维持在个位数。

夏汐带着一帮男生飓风似的冲了出去。经过另一间教室时，聂天逸正好从门里走出来。

"哟，一起去吗？"夏汐举了举手里的球。

"还有点儿事，下次吧。"礼貌地拒绝，依旧是云淡风轻的笑容。

夏汐可不知道那点儿事与小薇有关。

04

"……你，你确定我们要进去吗？"

小薇怀疑地望着眼前的屋子——这是一栋有些年岁的小洋房，实木的大门上有欧式雕花，门虚掩着，可以看到里面厚重的黑色天鹅绒帘布。

"怎么，你怕了？"

看着少年脸上幸灾乐祸的笑容，小薇悔意顿生。

聂天逸要她履行之前答应的条件，午休的时间把她拐到了这么个适合杀人藏尸的小黑屋。她怎么这么命苦啊，被最棘手的人捉到了把柄。

不过这可不代表她就愿意被眼前这个可恶的少年嘲笑，于是挺了挺胸，装出气势十足的样子。

"我才不怕呢！"又没出息地往门口探了一眼，"喂，你真的确定这里是电影院？"

"'喂'是谁？你不是已经知道我的名字了吗？"少年依旧是笑眯眯的，只是直接无视了小薇的问题。

"……那尊敬的聂天逸同学，你确定我们要在这个看上去很诡异的地方看电影吗？"小薇强忍着不耐烦，还在幻想如何脱离魔掌。

"是啊，票我也已经买好了，不看很可惜的。"幻想立刻就破灭了。

终究还是心一横跟着聂大少进了那间小洋房，走上旋转楼梯，推开楼上房间的小门。房间里一片漆黑，小薇忍不住低声惊呼了出来，却被牵住了手。

"跟我来。"

随着男生低沉的声音擦过耳边，投影屏幕亮了起来。

那是一个男子追寻着过去的记忆，回溯初恋时光的故事。小薇曾经在网络上看到过这部相当有名的爱情电影，也兴起过去看看的念头，只是没有想到会在这种情况下，和这个男生一起。

在黑暗里摸索到两个空位，坐下的同时，手也自然地放开了，可被悬起的心脏却没有人来释放，始终像是被人捏住似的，时不时觉得喘不过气。

影片上映到一半，不经意间看向身边的男生，他的眉眼、鼻梁、嘴唇，统统被黑暗吞噬，只剩下一个发亮的轮廓。总感觉有什么在少年脸上晶莹发亮。

好像漫长的时光停留在了这一刻，那光将其他的思考统统抹去，就只留下眼前模糊不清的一个意象。

你……哭了？

没敢问出口的问题。

电影结束之后，聂大少说今天不想去学校了，但还是把小薇送上了回去的车。

透过车窗望出去，少年的身影终被人流和车厢所遮挡，小薇却突然从座位上站了起来，一瞬间竟有了要冲出车厢的冲动。

"喂，聂天逸，有什么难过的事到天台喊出来就好了……我嘴巴很严的！"冲着窗外的男生脱口而出，脸不自觉地红了，好像有点儿太自作多情了。

"在那种地方喊，恐怕会招来怨灵的。"少年笑了笑，嘴角荡起优美的弧度，就像是平静的湖面突然起了涟漪，折射出了耀目的光芒，然而这光芒只是一闪即逝，又变成一贯的漫不经心，让她怀疑自己是不是看花了眼。

车门合上，汽车启动，出发。小薇头脑空白缓缓坐回到位置上，心跳却早已乱了节奏。

问自己，这是喜欢的契机吗？
回答是可能，大概以及……不是吧！

05
那么，再把时间回到现在。

现世报。
芭儿说，莫小薇你绝对是现世报。

小薇死气沉沉地伏在课桌上，有气无力地回应道："你不用这么刺伤我吧。好歹人家也是刚失恋耶，人生第一次失恋的经历耶。"

刚刚获知小薇失恋的消息，芭儿可是一点儿也不同情她，"你啊，你就炫耀吧。"一副之前小薇失魂落魄地回到教室，安慰过她的人不是自己的样子。

"呜，可是人家真的是第一次被拒绝嘛。"

"所以遭报应了吧。"自从听到聂天逸的名字，芭儿就没有停止挖苦她，"以前你欠下的那些个情债，终于找到债主了！"

看着芭儿摆明了鄙视自己的样子，莫小薇委屈地嘟了嘟嘴。她拒绝别人告白的时候，确实没想到这件事有天也会发生在自己身上。虽然过去整天都爱对别人说，"喜欢"这个词先说出口就输了，却还是忍不住对他说出了自己的心声。

这便是所谓的喜欢吧。
爱情果然是盲目的！

"哎！"

一口气还没叹完，整张桌子震了一震，夏汐用力一撑坐在桌子上，见小薇有气无力的，就问芭儿："哎哎哎，谁惹到我们的莫大小姐了？"

刚刚还在数落小薇的芭儿，脸也变得很快，"哎，小薇啊，今天身体不舒服。闲人勿扰哦。"她投给小薇一个放心交给我的表情，就把夏汐给拖走了。

不死心的少年一边嚷着"我可不是闲人"，一边频频回望，不知情的群众都好奇地朝他看过去。

见他这样，小薇心下有些暖暖的，可如果夏汐知道她被别的男生拒绝，又会做出怎样的反应呢？

脑袋里的夏汐犹豫了再三，始终做不出表情。

"算了，就当一切都没有发生过好了。"

小薇重重地把自己的额头磕在了课桌上，眼前就一片漆黑了。

06

夏汐是笨蛋，但是芒果布丁很好吃。

其实两者并没有什么可用到转折的关联。

小薇曾经想叫聂天逸和她一起去吃她最喜欢的，会配上椰果冰淇淋的芒果布丁，聂天逸也很温柔地微笑着说了好。可是直到她正式被拒绝的那天，他们都没有机会去那个气氛很好的店。可是真的好想吃芒果布丁嘛，但是一个人进去总有些傻乎乎的感觉。

事到如今，再次经过的时候，身边能够选择同行的人居然只有夏汐。

嗯，是"居然"和"只有"。

其实夏汐没有什么不好。没有比聂大少笨，也没有比聂大少难看。

只是认识的时间太久了。

他和芭儿从小学、初中，直到考入高中，都是自己的同班同学，算算，居然也快十年了。虽然三家在地图上被划分在同一区域，但在这么多同龄人中，志同道合的好友不被拆散，只剩下他们仨也勉强可以称得上是一个奇迹了吧——概率学上的。

可是，是从什么时候开始，发觉夏汐其实是和自己还有芭儿完全不同的生物。就好像原以为三个人的灵魂都是一模一样的他们，竟发现彼此的差异就如同鸡蛋和恐龙蛋那样，除了名字里有一个字相同便完全没有什么共同点了。

那个生物还居然对她说：

"我啊，最喜欢小薇了。"

如果之后没有跟上"还有芭儿、老爸老妈、路卡（他家的狗）……"还真的蛮让人心动的。

从什么时候开始，就变得截然不同了。

就像她始终不明白，夏汐为什么总爱拿着明星杂志的泳装页倾斜出各种角度，白费力气地想要看出什么；夏汐也不会理解她所热衷的隔壁班某某男生和某某某男生的八卦。

也不可能还像孩子时，任凭他跑到所有人面前吵吵嚷嚷"小薇是我的""都不准和我抢"一类的傻话。

对于夏汐，是依赖的，想到他有一天会对另一个女孩子说喜欢，心里就不舒服起来。可是小薇在心底也能隐隐地感觉到，这种依赖和她对于聂天逸的喜欢是不一样的。但究竟哪里不一样，小薇自己也说不清楚。

嘴里吃着布丁，正这么想的时候，聂天逸出现了。

07

小薇手一抖，打翻了一个盘子。

其实她只是心突然跳快了一拍，并没有关联到哪根和手相连的神经，打破盘子纯粹是因为身边的夏汐突然高喊了一句，"喂，天逸！"

很自然地，聂天逸也发现了她，微笑着过来打招呼。

"嗨，小薇。"

保持镇定，保持镇定。

"好久不见了，小汐。"

……败了。

关键词是"小汐"和"天逸"，这种有名无姓的暧昧称呼方式，让小薇大脑中瞬间涌现出"禁断之恋""BL""耽美"等诸多词汇。再多次警告自己不能因为一次失恋就步上同人女的道路之后，原本的那些词汇并没有丝毫减少，而是变本加厉地翻出了各种各样的花头，诸如"傻气攻""女王受""美少年之恋"……

除了"美少年之恋"因为夏汐的吃相而裂开成无数碎片，其他的词都坚定不移地沿着小薇的大脑回路坚挺地迈着正步。

失恋以后第一次产生了"其实失恋也还不错"的想法。

莫小薇，十六岁，开启了剽悍的人生之门。

以上，当然不可能。

"喂，小薇。"

"哎？"

胡思乱想的时候，还有补习课要上的聂大少已经匆匆离开了。还没有搞清楚自己有没有好好地说句"再见"，夏汐就已经拿出纸巾，再自然不过地替小薇抹掉了嘴角沾上的冰淇淋。望着今天已经第二次走神的青梅竹马，满眼都是宠溺的笑意。

"既然来了，不如我们去看电影吧，你不是有很想看的片子吗？"

"啊，好啊。"

太过自然了，居然就忘记了去问，你和聂大少是怎么认识的。

08

"莫莫，看好你哦。"

"莫小薇，我会支持你的！"

"小薇，加油哦。"

在遇到第八个冲着她傻笑并做出 fighting 手势的人之后，小薇深切地产生了不好的预感。

果然，一进教室就听到了噩耗。

"小薇，我和老师提名你参加学生会竞选哦，副会长。"

今天的最灿烂笑容奖得主——学生会会长芭儿。

正如通常情况下，"有没有搞错"一般都会得到"没有搞错的"答案，小薇也属于跳脱不出通常情况的俗人。

用"治疗失恋的最好方法就是努力工作"为理由，来摆明自己也是为了小薇好的芭儿，在丢给了她四大张纸的竞选词之后逃之夭夭。课间她只能自暴自弃地在教室里背诵着这四大页矫情做作但也不失煽动力的东西。

"这可是我为你量身打造的哦！一定要打败那个温婷！"

温婷，外号二报娘。是概率学奇迹的第四人。
是小薇、芭儿、夏汐从小学到高中的同班同学。
反面角色。嗯，这个定义一定要加上。

就像她每次趴在电脑前不愿离开的时候，妈妈就会愤怒地嚷嚷，"你不上网就活不下去了吗？"小薇也很想问问温婷，"你不打小报告就活不下去了吗？"
嗯。活不下去。肯定的语气。

小学时和芭儿成为同桌，继而变成了最好的朋友，然而却因为"有同学反映两人课上闲聊过于频繁"，硬生生被拆开了。在目睹了老师摸着那个笑得一脸灿烂的女孩的头，宠爱有加地说着"以后有这类情况还要向我反映"之后，芭儿就咬牙切齿地给那个叫做温婷的小女孩冠上了"二班专卖小报告的臭婆娘"的称号，简称二报娘。
沿用至今，事迹不断。
而芭儿的品学兼优也更多的像是在和温婷较劲，温婷是数学课代表，她就要在数学考试上拿到最高的分数；温婷副班长，她就要做班长；温婷是市优秀三好学生，她就要做省优秀三好学生。
用芭儿的话来说，女子报仇，十秒都晚，十年不够用。

莫小薇也不想输给温婷，于是休息时间都贡献给了发传单的工作。
这活儿看起来简单，可时不时就会从某个背影旁飞出来的传单成了小薇最大的折磨。一路发一路捡，头顶上的骄阳，也凑热闹似的一路陪着她。
没过多久，小薇的两条眉毛就亲密地挨在了一起。

"用这么可怕的表情能发得出去吗？"

路经的聂天逸指着小薇的眉心忍俊不禁，把手里的矿泉水递过去。莫小薇不客气地一通牛饮，抹抹嘴巴，换上了谄媚的笑容，顺手把传单分了一摞给天逸，"那你帮帮忙啰。"

大不了再被拒绝一次，反正她死猪不怕开水烫。

"还真是会支使人。"

但这次男生没有拒绝。

凭借聂大少的号召力，收工时间比预想的要提前了很多。回教室的路上，小薇看着手里最后一张竞选宣传单，随口问起来，"聂大少，你为什么不参加学生会竞选啊？你应该很有竞争力啊。"

"我也想参加啊，可是我参加了不就没悬念了。"少年摇摇头，一副"这么简单的道理你都不懂"的架势。

"是是是！"莫小薇也懒得反驳，只觉得每次遇见这个少年，都能见到他不同的一面。

"你不明白，其实我也是有苦衷的。"少年故意一声长叹，莫小薇明知道自己不该继续问下去，但好奇心这种东西可不是理性能够扑灭的。

"你有……什么苦衷？"

"其实……"少年突然凑到她耳边，拖长了尾音。温湿的气息烧得小薇的耳垂又热又痒，她却又不敢伸手去挠。

"因为我杀过人。"

"哎？"小薇一愣，"杀过人"应该不是字面上的意思吧。

"你不知道吗？像我这样的人，会偷走你的灵魂的。"

"啊？"

"谁叫我是如此的睿智、英俊、无所不能……"

"我要吐了……"

莫小薇深深感叹自己遇人不淑，但就像是猜到了她的想法，临走的时候，男生冲她眨眨眼，抛下一句话。

"虽然你说喜欢我，但你又了解我什么？喜欢我什么？"

09

你喜欢我什么?

这个问题,小薇也问过夏汐。

每次夏汐都能絮絮叨叨地说上一堆,从小学一年级和他扮娃娃家,说到初中三年级看她穿表姐的长裙。

那聂大少呢?她又喜欢聂大少什么?

他就像是遥远宇宙中的冰冷行星,无法用肉眼去分辨定位。

小薇一边思考这个难以攻克的难题,一边抱着高高一摞练习册走在回教室的路上。

最上面一本的封皮上用潦草的字迹写着"夏汐"两个大字,岌岌可危地斜出一个角,随时都准备着回应地心引力的召唤。

走神的结果就是,怀中的练习册一本接一本随着"夏汐"英勇就义,哗啦哗啦掉了一地。

"怎么了?横在路中间。"

"还不是因为你这个罪魁祸首!"

"哎?"夏汐一脸无辜,不知道自己又是哪里得罪这位大小姐了。

再次向教室行进的时候,练习册都换到了男生手上。小薇双手背在身后,气定神闲地偷瞄着身边的男生。直挺的鼻梁、深邃的眉眼、比阳光更有热力的笑容,感染着身边的人心情都变得好起来。

和那个星辰般让人琢磨不透的少年截然不同。

用手肘敲敲夏汐的胳膊,"欸,你和一班的聂天逸很熟?"

夏汐点点头,"嗯,去年暑假的时候认识的,是个很有意思的家伙。"

"从没听你提过。"

"你啊,哪还有空关心我。"男生埋怨道,"怎么,不会又看上人家了吧?"

"啊……当然没有啦,我就随便问问。欸,你干吗要用'又'……"

心里有个细小的声音在反驳,说谎。其实是看上了。

"真的没有?"

"没有，没有啦。"

细小的声音在说，他已经拒绝了自己。

又顿了顿，小薇才问出心里真正的疑问，"只是有几次，看到他特别难过的样子，有点儿好奇罢了。"

"……大概是因为他家里的事吧。"夏汐顿了顿，"他是单亲家庭，妈妈又是有名的模特，比起我们总会有些烦心事吧。"

"哦。"虽然点了点头，但却并不满意这个含糊的答案。

10

回到教室，夏汐把手上的练习册撂在讲台上。

芭儿拍了拍他的肩，表情严肃地说："夏汐同学，你一直不能扶正的原因，就在于你'101忠狗'的形象。"

夏汐摇头，"这说明被我喜欢是幸福，我说，谁让你喜欢上了，那可就倒霉了。"

"嗯……倒也是。"做出一副"我有好好思考过"的架势。

"莫非你也有喜欢的人？"夏汐倒吸一口冷气，像是看见鬼了。

"欸，你们两个，别挡驾了！"

没有营养的话题因为小薇的"飞册攻击"而中断了，夏汐和芭儿也就做逃逸状各自去忙了。小薇专心地把练习册按座位放在每排的第一张课桌上，她挺喜欢这种时候，可以把心思放在这种无关紧要的事上，一些不愿意去触及的东西，也不会在脑子里盘旋不去。

就算周围的环境再怎么嘈杂，她也可以集中心思在自己的事情上……可是今天未免也太吵了一点儿，小薇皱了皱眉，还是忍不住抬起头来。

好奇心杀死猫。

噪音的来源是一群趴在窗口上的同学——小薇他们班的教室在三楼。

"喂，你看清楚了吗？"

"太远了，人又多……"

"笨蛋，用这个啊。"居然从抽屉里掏出了望远镜。

"贱人，你不早拿出来。"

一群男生的脑袋都挤在了一起，时不时的有人叫嚷着"究竟写了什么啊"，直到拿望远镜的男生猛地回过头来，目光在教室里转了一圈，然后锁定在小薇身上。

"莫小薇爱聂天逸。"
操场上白色石灰写上的字迹，醒目得刺眼。

11

女孩子。奇妙的生物。

会看小说看得哭了笑笑了哭，也会在你面前伪装出笑容和哭泣。

会唧唧喳喳地讨论明星的新闻八卦，也会偷偷在你背后散布些有的没的。

会把可爱的、闪亮的小挂坠挂满手机和包包，也会在你的课本上涂满胶水，座椅上撒上图钉。

会亲昵地互相挽着手臂，一起聊天、逛街、上学、放学，也会恶毒地在操场上写上"×××爱×××"。

看见那些和自己穿着同样款式校服的女孩子们三五成群，不时地说些什么，然后又肆无忌惮地笑出来，小薇的指甲无法控制地，深深地嵌进手心的肉里。

虽然她知道，她们更有可能是在讨论最近的日剧剧情，或者是今天放学要不要绕道去买一些可爱的小玩意儿；虽然她也知道，她自己的事并不是那么值得一提，可是每当她发觉人们在谈论时的视线是指向她的时候，她还是忍不住捏紧了拳头。

被害妄想症吗？

"不是的，是你看男人的眼光太差。"食堂里芭儿和她面对面坐着，一边摇头，一边把汤匙咬得咯嘣咯嘣响。

即使在第一时间和芭儿把操场上的那行字清理干净，依旧有不少好事者围着小薇、天逸甚至是芭儿追问这件事。小薇和芭儿自然什么都不愿说，可是闻风而动的人们却在聂天逸那里找到了突破口。一开始的是"她是说过喜欢我"，接着就是"但是我拒绝了"。

这个消息像蛀虫一样，从心里那个原本美好无瑕的青苹果里爬了出来，留下一个黑色的窟窿，露出令人厌恶的肥硕身段来。

小薇竭力地想要安慰自己，也许这不是男生的本意。

也许，只是也许……从那黑色蛀洞里传来的声音却总在耳边挥之不去——好好看看你喜欢的人吧，这种时候了，他还是选择伤害你。

周围的视线都好像要穿透自己的身体一般集中到背部。不断有故意压低音量，却还是模模糊糊飘进耳朵里的声音——"就是那个女生啊""竞选学生会长的""操场上写大字报告白被拒绝的""真可怜"。

……就是那个女生啊。

被拒绝的。

真可怜。真可怜。真可怜。真可怜。真可怜。真可怜。真可怜。真可怜。真可怜。真可怜。真可怜。

真恶心。

想吐。

"喂！你们有完没完？"

这天的午餐时间以芭儿重重摔下饭盆的巨响和突如其来的一声怒喝而告终。瞬间寂静下来的食堂里，小薇的声音被无限放大。

"算了，喜欢一个人又不是什么丢脸的事。"

本以为事情该到此为止了。

可离开时，在食堂门口遇到了板着脸的夏汐，语气沉重地问她，"你到底要骗我到什么时候？"

"真的是最好的朋友吗？反正不管你发生什么，我总是最后一个知道。"

夏汐撂下最后一句话，转身离开。

小薇知道现在说什么都无法挽回了，其实她一直都明白，谎言终究会被拆穿，会变成横亘在两人之间的深谷。

可她仍怀着一丝侥幸，希望那个男生什么都不知道。

终究是她太贪心了，不想失去他，也不想伤害他。

12

Y 轴是 $y=1/x$ 的渐近线。

渐近线的定义在于渐渐接近，但却永远无法相交，哪怕近到看不出距离，哪怕看上去几乎叠在一起。

无限地靠近。无限地靠近。一直冲往宇宙的边缘。

但是，到了那样绝对零度、绝对真空，连光线也无法传播的地带，依然没有交点。

你也是我的渐近线吗？

13

"是温婷做的吧，操场那件事。"

"一定是她。"

"哎，夏汐是不是真的和那个温婷在一起呀？"

"谁知道。"

"芭儿才是最牛的呢！居然勾搭上了聂大少！"

都是些依旧围绕在小薇身边的声音。

小薇当选了学生会副会长，却因为教务处出于"对该学生作风问题"的考量在一个礼拜之后给罢免了。

和聂大少的绯闻风波本是随着时间渐渐地平息了下来。但没过多久因为学生会会长芭儿和聂大少的突然交往，而爆出了学校里最大的冷门。

可惜新闻社的人也因为经费问题只能屈服于芭儿会长的淫威之下，狗仔不了他们的感情是如何开始。还有就是夏汐，居然一下子和温婷走得很近，甚至还传出了正在交往的说法。

"你是故意气我吧？"

"气你？我能做到吗？即使我在你身边，你也感觉不到我的存在吧？"

对于青梅竹马的讽刺，小薇无法反驳，可是……

"为什么偏偏是二报娘？"

"她又怎么了，做了十年同学。你和芭儿讨厌她，我又不讨厌。"

"你明明知道她做了些什么！"

"操场的事不是她做的……"男生的语气由激动转为无奈，"请你不要冤枉她。"

"……是吗？我知道了。"

以"请你"开头的外交辞令让小薇心灰意冷，但她也明白这是自己一手造成的。

哎哎，果然是流年不利，祸不单行，人生一片灰暗。

其实也不至于。

一边用"你长得就像该喜欢大蛇丸的"嘲笑着号称帅气赶超卡卡西的男生友人 A，一边用"总会找到比不二周助还要帅气的男生来爱你"这样鬼都不会相信的话来安慰失恋的女生友人 B。小薇的人生也依旧忙碌到没有太多时间来自怨自艾。

在莫小薇终于记住了班上最后一个男生名字的时候，有人提议组织班上的同学一起出去玩一次。因为临近考试，讨论了各种可行计划之后，最终还是选择了 KTV 这种不用花费太多时间去准备，且不太耗费体力的安全活动。

最后到场的有二十多个人。让人意外的是聂天逸的出现，据组织者说，是特意拉来这位帅哥制造人气的。再说了，人家聂大少也不是外人，完全可以当做家眷处理。

说实话，小薇很怀疑这种活动对同学间的感情是否能有推进作用。到达包厢之后唱歌的、打牌的、聊天的都因为震耳欲聋的音响效果只能分为一小撮一小撮地进行。

聂大少和夏汐更是在角落里坐定了，不知道在聊些什么。

小薇只能硬拖着芭儿听直升部的人说起学校里的八卦。比如谁和谁以前是一对，哪些个老师要怎么对付一类的。

"听说实验楼禁地死人的事，和我们这一届的学生有关呢。"某个男生神秘兮兮地开启了一个新的话题，在女生中引起了一片哗然。

"怎么回事啊？"马上有人好奇起来。

"说是参观日的时候，有学生把人从楼梯上推下去了。"

"可我听说是有人自杀。"

"具体的情况不清楚，反正事情好像被压下来了，这个学生现在还在我们学校呢。"

"哈哈，你说的是自杀的那个还是被人推下去的那个？"

尽管，大家都因为最后的玩笑话哄堂大笑，冰冷的感觉仍旧从莫小薇的指尖一直延伸到太阳穴，突突地疼了起来，记忆里的某个细节鬼使神差地被扯了出来，和男生口里的传闻吻合在了一起。

仿佛玩笑似的一句，"因为我杀过人"。

目光转向角落里的聂天逸，昏暗光线的晕染下分辨不出表情，只是眼神像是不经意地转向了她。

然而小薇没有注意到,有一只手随着这个"在校生杀人事件"愈来愈热的气氛,逐渐攥紧,突起青色的血管。

"你和聂天逸怎么样了?"假装不经意地问起身边的芭儿。

对方笑了笑,应道:"早和你说了,我又不是喜欢他才和他在一起。"

"是为了给你报仇哦。"

莫小薇的呼吸滞了滞,感觉像是吃进了恶心的东西。

"那你也该告诉我了吧,你们怎么会在一起的?"

"嘻嘻,因为我知道他一个秘密。"

"秘密?"

"是啊,所以我就要挟他,不和我在一起的话就把他的秘密公布天下,就在一起咯。"

"真的假的,什么秘密,开玩笑的吧?"

"哈哈,不告诉你,少儿不宜哦。"看着芭儿诡异的笑容,始终觉得她是在隐瞒什么。虽然很想知道,但是毕竟认识有十年了,她还是很明白的,芭儿不想说的事情,没有人能逼她说出来。

只是无意中看到发件人为"聂天逸"的短信内容,却也会产生不一样的想法。

"今天我要补习,不能等你一起了,知道你也不会在意,但你一个女孩子,也别太晚回去了。"

亲近的口吻,就像是已经彼此熟悉的两个人。

聂天逸真的只是被芭儿要挟了吗?

14

第一题:若 $f(x) = x^7 + bx^5 + cx^3 + dx + x^2$, $f(-5) = -15$ 则 $f(5) = ?$

答案:65

第二题:已知 $f(x) = x^2 + 10x + 8$, 当 $x \in [2, +\infty]$ 时, $f(x) \geq a2 + 2a - 16$ 恒成立,则实数 a 的取值范围是?

答案:$-8 \leq a \leq 6$

第三题:已知 a= 芭儿 = 死党,b= 温婷 = 死敌,c= 天逸 = 自己曾经喜欢的人,

d= 夏汐 = 曾经喜欢自己的人，则 f（x）= ac+bd =？

答案：无解。

手指不自觉地用力，笔尖划破了纸。一旁还亮着的电脑屏幕上企鹅的头像又突然跳动了起来。

另一个屏幕前，少年正在注视着眼前的窗口等待着回应，已经发出去的消息孤单地显示在白色背景的窗口里，相当的醒目：

"你叫我帮你查的事，已经查清楚了。"

将要面对的是，比恋爱更可怕的期末考试。

● 青梅竹马和一见钟情该选择谁？

○ 聂天逸：一见钟情。

○ 夏汐：青梅竹马。

○ 莫小薇：能不能不作这样的选择……

○ 芭儿：劈腿吧。

○ 众人：……

小提示：尽快地作出正确的选择，才是减小对彼此伤害的最好办法。

01

"哎，芭儿我和你说啊……"刚想要发发牢骚。

"等下再说……我要去楼下一趟。"没想到对方却也是一副火大的样子。

还没有找到机会开口询问具体发生了什么事，就跟着芭儿到了楼下初一某班级的教室门口。被叫出来的女生是陌生的面孔，似乎还有些没睡醒的样子。

恐怕又是刚刚趴了一整节课吧，小薇心有戚戚焉。

只是毫无预兆的"啪"的一声——

一封信被拍在了女生的脸上。

"喂，你要不要脸啊！"

这下好像不清醒过来不行了。

用全校震动形容那件事的效应，似乎有些夸大其词，但是芭儿的彪悍形象确实是自那时起在全校同学的心目中得到了确立。

其实过分的话也就只是那几句。

"你要不要脸啊。"

"小小年纪就学别人写情书。"

"'夏汐同学，我想要和你在一起。'拜托！也不看看自己的样子！"

但据说那之后一整年再没有低年级的女生敢给小薇班上的男生递过情书。即使老师也得到了一些风声，可是对于年级排名第一的芭儿，也总是睁一只眼闭一只眼的。

"这样做会不会太过分啊？"事后小薇不安地问芭儿。

芭儿却丝毫没有内疚的样子，"有什么呀，夏汐是我们三人小分队的啊，才不能让外人抢走呢。"

着实羡慕芭儿那敢作敢为的性格，那是三个人关系还单纯到不分彼此的时候。

怎么又想起初三的事情来了，小薇努力地摇了摇脑袋，第十次看了下表，还有五分钟下课。唉，一天中最美好的清早为什么就非得上数学课呢。

"喂，小薇，老头盯你好久了。"旁边的同学发出善意的警告。一抬头，老师果然正频频朝她的方向看来。小薇刚想作专心状看书本，手机却又不合时宜地响了起来。

惨了，因为是第一节课居然忘记了换成震动。

"不要啦～不要找我啦～～"娇滴滴的女声短信铃声随着四周的窃笑响起又结束，讲台前的年迈的数学老师推了推眼镜，眉宇间的纹路看上去似乎又深了。

"莫小薇，你上来写这道题。"

完了。

尽管不断地有好心的同学在下面用相当清楚的音量报出正确答案，但是，数学最重要的还是过程。

过程啊！没有过程我写啥？

莫小薇怀着极其悲壮的心情走上了讲台。

脚步落下的时候，教室里突然有了一瞬的安静，老师略带讶异地叫出了另一个名字，只是时机有些微妙。

"夏汐？"

回过头，男生正举起手臂，神态自若。

"老师，这道题我会，我来写吧。"

少年与小薇在狭窄的走道里擦身而过。夏汐并没有看她，只是径直走上了讲台。

小薇回到座位上，望着他正在书写的背影，暗自在心中猜测：他这么做，我可以理解为已经原谅我了吗？

然而下课时，男生和另一个女生的匆匆离开又仿佛在说她的猜测并没有什么道理。

02

把小薇推上讲台的短信，是艾伶司发来的。因为一直没有得到回复的缘故，那家伙在下课后便自己跑来了。

"哎哎哎，你怎么啦，网上也不理我，发短信给你也不回。"

"托你的福……差点儿就被数学老头请去喝茶啦！"

面前的艾伶司还只是初二的学生，有着一头自然卷曲但却柔软的短发，以及略带稚气的清秀五官。嘟着嘴巴的样子，常常令小薇觉得有让人想要加入"正太控"这一变态人群的危险。

虽然明知道好奇心要不得，还是抱着随便问问的心态委托新闻社的小伶去查关于聂天逸被芭儿所要挟的秘密，谁叫那个家伙总爱号称将来不进情报局就称霸狗仔队。

但实际上这次他并没有带来什么收获。

什么根据动漫社的姐姐A透露的，聂天逸对夏汐的态度不同寻常的情报。以及，根据聂天逸同班女生B爆出的，夏汐曾在聂天逸家过夜（同行还有其他班上三个男生）的不为人所知的内情。根本谈不上什么可以被要挟的秘密嘛。但，倒也有令人在意的事——

"最后，是爱你的小伶自己查出来的情报！"

"咳，那个前缀的可以省略了……"

"聂天逸的妈妈是模特，你知道的吧？"

小薇点头。

"她曾经和有妇之夫闹过绯闻，你知道吗？"

小薇摇头。

"虽然对方的身份一直没有被揭开，但还是闹得沸沸扬扬的，甚至传出了要再婚的消息。最后这段关系好像是不了了之了，但聂天逸学长正好是在出绯闻的那段时间，从家里搬出去的。我想这两件事，应该是有点儿关系的吧？"

哎？这就是那个人所难过的事情吗？他的母亲，竟然是第三者？！

03

一整个下午，小薇都沉浸在天逸的母亲竟然是第三者的震撼中，直到某人把"魔爪"缠在她的脖子上，强行把她的魂拉了回来。

"宝贝儿，周末来我家补习吧，我妈又把她学生请来了。"
"唉唉，我幼小的心灵可经不起那些高才生们的摧残。"
"你都已经阅尽千帆，身经百战了，还怕什么啊……"
"……对对对，再这么下去，我就要变残花败柳了。"

芭儿的妈妈是大学里的教授，周末常有把自己的学生拉到家里给芭儿补习的"福利"。而芭儿总爱拉着小薇一起，一起享受"福利"的折磨。

嘴上百般的不情愿，到了周末小薇还是乖乖地去了芭儿家。毕竟数学是自己的马赛克科目，大考前佛脚总还是要抱一抱的。

初中时虽然不愿像芭儿那样花心思在学习上，但是两个人的成绩总是差不多的，有时小薇甚至略胜一筹。但到了高中，芭儿依旧是优等生，她却变成了偏科生的典型。

差距似乎越拉越大了。

每次遇到解不开的题目时就总想问问好友，如果有一天，你还是好学生，我却变成吊车尾，你会讨厌这样的我吗？即使你不会，你的母亲、学校的老师，还有你身边的那些优等生朋友，他们会容忍这样的我吗？

当差距扩大成无法弥补的沟壑，我们就不能待在同一个容身之所了吧。

这是小薇所惧怕的，也从未问出口的。

唉~如果世界上可以没有数学，那一定会比现在美好上一百倍吧。

小薇内心一声长叹。两个小时的补习终于结束，她觉得自己的头显然比来时重了一百倍，太阳穴胀胀的生疼。

再看到面前的人之后她的头就更疼了。

"小薇啊，好久没来了啊。最近成绩怎么样啊？前几天你们才小考过吧？"开口的是芭儿的妈妈。

"考得不好啦，说出来，阿姨也要取笑我了。"

"哎呀，你别谦虚了，我都听芭儿说了，你这次英文又比芭儿高吧，真不知道那个孩子平时英文课都在干什么，叫她平时多听听英文，说了几次都不听，小薇你可要多帮帮她啊。"

"芭儿英文已经很好了，我这次考得高不过是侥幸。"

"考得好就是考得好嘛，有什么侥幸的。是不是因为精力都放在英文上了这次数学才考了个不及格啊，下个礼拜也来阿姨这里补习补习，多做做题，会好的。"

小薇被堵得哑口无言，这还真是芭儿妈妈擅长的"温柔一刀"。自小开始，小薇就对这个爱把芭儿从这个补习班拉到那个补习班的妈妈有着心理阴影。

每次见面几乎不离那几句话——

"小薇啊，最近考得怎么样啊。"

"小薇啊，你最近还在看闲书吗？可不要借给芭儿哦。"

"小薇啊，芭儿最近要温习哦，你别老带着她乱跑哦。"

……尤其在高中小薇的成绩下滑以后，她就更不愿意来芭儿家了。对于芭儿妈妈这种笑里藏刀的态度，她实在难以消受。

我惹不起，总躲得起吧。无奈也有躲不掉的时候。

"不过，小薇你生得漂亮，不像我们家芭儿，漂亮的小姑娘就算学历不高将来找工作也好找。哎，像我们家芭儿这样的就只能靠后天努力了。"

"妈！人家小薇难得来一次，你少说两句行不行啊！小薇，我们进去！"

芭儿无视母亲因为她的话变得有些阴霾的脸色，把小薇拖进了自己的房间，重重地锁上了门，长舒一口气。

"什么找工作嘛，离我们还遥远得很呢。"

懒得开灯，芭儿摆了一个大字就往床上一倒，夸张地做出四肢被床垫弹起的样子。

原本对芭儿出卖自己的成绩稍有怨念的小薇也被惹笑，干脆也躺下把头靠了过去。难得的清净，也是两人间的少有的片刻沉默。

"想什么呢，你？"

"我在想，等我找到工作，能独立的那天，我一定要搬出这个家，租或者买一套房子都行。"

"因为你妈？"

"还能因为谁。"

"你会恨她吗？"

"恨？谈不上吧，我家的情况你也知道的。没有赡养费，我妈又不肯再婚，想方设法也就是为了我出息点儿。真要恨也恨不起来。"

小薇听着芭儿的叙述，为她心疼起来，只能轻轻拉着芭儿的手说："那如果你搬出去，我也搬来和你一起好了。"

"真的？那可说好了哦！将来我们两个一起，只要一间小房子就好了，一间卧室可以放两张床，有一个小厨房，还有卫生间……"芭儿边说边想，一间小小的公寓就逐渐成形了。

"还要有电视、电脑，能上网！嘻嘻，约定好了！"

"嗯，拉钩。"

黑暗中，芭儿对着天花板，反扣着双手，手指交叉地伸展着手臂，小薇也把一只手凑了过去，展开的五指之间，仿佛隐隐透着光芒，在放大的瞳孔中，老旧电影屏幕般不断地闪回。

"芭儿，你说如果我们能回到过去，那该多好啊。我们三个，就不用像现在这样每天都这么多烦恼了。"

"……回到过去吗？"芭儿似乎真的在思考如何回到过去一般，忽地就没了回应。

小薇扭过头去，没有光线的房间里，对面的侧脸被吞噬得只剩下几笔晕开的轮廓，唯有眼里闪烁着微弱的光向着天花板。突然想起那天昏暗影院里的聂天逸，仿佛想要哭泣般的侧脸，竟是惊人的相似。

她和聂天逸现在怎么样了呢……

"你以为是周杰伦的歌啊，回到过去……说回就回啊！你想得倒美了你！"小薇的问题还没有问出口，原本沉默的芭儿突然一个翻身，直攻小薇的软肋。

原来刚刚是有预谋的！

"哎！哈哈……痒死我啦！Stop！……哈哈……你这是性骚扰……哎，你！鄙视！不准笑了！口水都喷到我手上了啦！抽——飞——"

04

开灯的那个瞬间，我一下子什么都看不见了。

你说那是因为习惯了黑暗的瞳孔在光线下开始收缩，造成的暂时性失明，是为了保护我们的眼睛。

所以我没能看清你那时的表情。

没有看到你并不是真的笑着的，没有分辨出你流下的眼泪，更无法听到你在心中的感叹——

"即使是过去也尽是些痛苦的事情啊。"

05

小薇真的觉得恋爱能改变一个人的习惯。

就好像她喜欢上了聂天逸。为了追着男生的影子，万年运动白痴的她，居然跑去加入了田径社。

还每天参加 5 点就开始的晨练，只是为了能够见到他，说一声早上好。

运动的同时还开始节食，只是因为男生无意说了喜欢骨感的女生。

最终导致在操场上昏倒却还是丝毫没有悔改的意思。

男友出国以后，突然开始恶补法语的姐姐也曾经和她说过，如果什么都不做那这段远距离的感情迟早会走到终点的，为了喜欢的人改变自己，并不是勉强，而是顺从自己喜欢他的心情。每个女孩子喜欢上了一个人都会开始这样的义无反顾吗？或许更多的是变成了一种悲壮，莫小薇在犹豫着是不是该递交退社申请的时候是这样想的。

可是社长大人显然不明白她心中的苦闷，直接把还在踌躇的她拉到了起跑线上。

双腿逐渐失去了知觉，跑道似乎延伸到了世界的尽头，不，是宇宙的尽头，只有她在独自奔向未知的终点，如同不可预期的单恋一般。

最令人沮丧的是，某人几次轻松潇洒地从她的身边超过，提前她半小时就完成了全部的训练。然后悠闲地在跑道旁边帮她数着圈数。

喂，给点儿偷懒的机会好不好……

长跑结束后，还有社团的保留项目两人三脚。

起跑没多久，她就遭到了强烈地指责："新人，你根本就不行嘛。"

"行了就不是新人了！"小薇不禁哀叹为什么自己非要和零默契，不，是默契为负数的聂天逸分为一组。

"第一名的奖励可是社长开后门拿的一个月的假条，不要拖我后腿。"

"我已经尽力了，HP为0了，你知道什么是HP为0吗？"

本来就不擅长跑步，现在还失去了一条腿的控制权，她对两人三脚这项在漫画里看起来很萌的运动已经彻底绝望了。身边的天逸却还迈着大步向前跑着，小薇一个踉跄，就要和大地展开一次激情热吻，只是泥土的触感比想象中柔软许多，带着热度，瞬间仿佛灼烧般的，高温就直达了心脏。

是人类的体温。

莫小薇被搂在了男生的身侧，零距离地与他贴在了一起。行进的速度加快了起来，对她来说，更像是被男生挟持着，冲向了终点线。

"真是个麻烦的家伙，搂紧点儿。再摔可顾不了你了……喂！不是脖子，你想勒死我吗？"

用那样丢人的姿势一路跑到了终点。虽然得到了第一，但真是毫无成就感可言。

然而使莫小薇更加沮丧的是，尽管自己在大家面前做了如此丢脸的表现，但被聂大少抱过终点的时候心里居然还有一丝窃喜。

心情越发的低落了。

"聂大少实在太没人性了！我没有功劳也有苦劳嘛。"

莫小薇捏着仅有的从天逸那里辛苦抢来的两张请假条，坐在天台的角落里，高出地面许多的管道的影子遮挡了她原本就相当娇小的身体。

"你又在和自己说话了？"

心脏好像随着声波的起伏突然收缩，抬起头，少年像是平日里的自己一样坐在离她最近的管道上，无声无息地仿佛凭空出现一般。

"你来做什么？"莫小薇没好气地问。

"你又是来做什么？"问题又给丢了回来。

"我来纾解压力。"

"压力吗？我想我大概可以理解，哈哈。"

少年肆无忌惮地笑起来，让小薇气不打一处来。那家伙居然又嘲笑自己……今天跑到终点的时候他也是这么笑的！

"有什么好笑的，每个人都会有压力吧。"

"是啊，每个人都会有……你不坐上来吗？"没有预兆的，少年向小薇伸出了手。逆光下身体半边的轮廓溶化在空气里，隐约可以看出金色的弧度。小薇怔了怔，脑袋里突然产生了奇异的妄想，好像眼前的少年将要打开一扇通往异世界的大门，引领自己到一个未知的空间。

"发什么呆啊。"然而不等她犹豫，少年弯下腰来，伸长自己的手臂，指尖擦过女生的手心，握紧，生出一股力量，在她还没有来得及思考的时候，就把她从角落的阴影里拉了出来。

突然过于耀目的光芒，一瞬间思维停滞，大脑里一片空白。

好不容易才坐定下来，两个人挨得很近，近到小薇甚至怀疑聂天逸可以听到自己那大得吓人的心跳声。

"你有什么压力啊？"偷偷望着少年的侧脸，开始寻找话题。

"你的又是什么呢？"喂，不带老是这样把问题丢回给她的吧。

"是我先问你的吧！像你家世好、成绩好、样样都好的人还有什么压力啊？"

话刚问出口，就突然想到了他母亲的事，惴惴不安地看了少年一眼。

对方没有回答，只是笑。

小薇没来由地就讨厌起这样的笑容，"你总是这样，时时都是笑着，却又好像很难过的样子。"

仿佛被她说中了，少年转用探究的眼神看着她。小薇却没在意，她想起了另一个人——芭儿。

"虽然你说我不了解你，但其实你和我的一个朋友很像。你们都喜欢把难过的事用其他表情掩盖过去。无论遇到什么事都笑着，让别人觉得你们什么都不在乎。可我知道，并不是这样，她其实是个很敏感又很要强的人，她心里很痛，但却不愿别人去同情她。有时候明明是想哭的，却还是笑着，眼泪落下来了都不知道。每次见她这样，我就难过。虽然我一直在她身边，可却什么也做不了，只能看着她故作坚强，看着她被误解。可那些人根本不知道她经历过了什么，也不知道她痛在哪儿……"

小薇顿了顿，眼眶略有些酸涩，可话还没有说完，就被一双手臂环在了怀里。少年的下巴抵在她的头顶，声音从头顶低低地传过来。

"别说了。"

　　小薇对这样的发展措手不及，脸颊贴在少年的胸口，可以听见皮肤下有力的心跳，她不知道少年为什么要阻止她说下去，只是没多久，就又听到了熟悉的轻浮口吻，"你对我还没死心吧？"

　　"你！"想要推开他，男生却先放了手。一下失去怀里的温度，就突然感觉冷起来。

　　"没死心的话，要我脚踏两只船也可以哦。"少年的语气仍旧是那么漫不经心，然而就只这种漫不经心，在小薇的心里慢慢地抓挠，使她无法保持冷静。

　　"……芭儿说，她知道你的秘密。"

　　"那又怎么样呢？"

　　"我猜，也许她知道你妈妈喜欢的人是谁。"

　　天逸颇有些讶异地看着女生，笑意凝结在了脸上。他许久没有说话，再开口的时候陡然冷漠了起来，"你有这个心思不如去关心关心你的好朋友吧！虽然你刚刚说'那些人'不知道她经历了什么，但你又知道什么呢？最好的朋友，你除了会哭，还能为她做什么呢？"

　　他侧过脸看她，目光撞出了火花，小薇心里像是燃起了一把火，她一下站起来。

　　"你知道吗？也许你是知道一些我不知道的事情，可是你又知道她所有的事情吗？"

　　少年被问得一怔。

　　"我和她认识十年，这十年中几乎三分之二的时间我们都在一起。没错，我是不知道她的所有事，但我有自信，我了解她，我比这个世界上大部分人都了解她！"

　　少年又笑了，可是这样的表现，只是让小薇觉得心里的那把火越烧越旺，像是随时会从身体蹿出来，"喂！聂大少！你说我不了解你！那你像你这样总是把自己藏在笑容后面又算什么？你给过我机会好好了解你吗？"

　　眼前娇小的女孩，突然变得气势夺人。面对着小薇的质问，恼怒、惊异、迷茫和歉疚——从天逸眼里闪过，他的眼眸深处也有什么烧了起来，跃动着不安的火花。然而他终究还是什么都没有说，沉默地离开了。

06

　　"这么说，你还是没退社？"

　　"嗯。社长说反正马上要期末考试了，社团活动也暂停了，让我再考虑考虑，而且如果现在就这么退社了，简直就像在自白我加入田径社就是为了……那谁谁。"

颇有些沮丧地回到教室，被芭儿追问起今天退社的结果，虽然之前勇气大爆发了一回，小薇发现她只敢在没人的地方胆大。

现在连提起他名字的勇气都没有，每次那几个音节要出口的时候都会有喉咙被什么哽住的错觉。

一瞬间的犹豫，便胆小了。

"那你和夏汐最近怎样？"

这可真是哪壶不开提哪壶。虽然夏汐同学即使被好事的男生堵在厕所里也还是坚定地否认在和现任学生副会长温婷交往，但却总是摆出一副和小薇老死不相往来的架势。

"我们只是很好的朋友。"现在居然被夏汐用在了温婷身上，原本该是自己的台词吧。

所谓三十年河东，三十年河西。

"哎，不要担心啦。汐仔都说了没和她在一起，只是二报娘单方面的。"

"单方面吗？上次还很紧张地跑到我这里来澄清说操场的事不是二报娘做的。那天，我还听他叫她'婷婷'呢。"

"是吗？他真这样？那我要去调查调查了……"芭儿凝神想了想，马上又发挥了极速变脸的绝技，嬉皮笑脸了起来，"你现在才知道吃醋啊，会不会晚了点儿啊？"

"谁吃醋！芭儿老是帮夏汐不帮我。伤心了。"

"我是同情弱者。放心咯，汐仔的事包在我身上，保证你们和好啦！"

"我可没想要和他和好！"

确实没有想过要和他和好。就好像不会去想象地球上没有空气，或者晴空上没有太阳，莫小薇也从来没有想到过，两个人之间竟会有现在这样"需要和好"的情况发生。

当然，不仅是夏汐，莫小薇也不想被芭儿丢下，在加上之前芭儿妈妈的刺激，不奋发好像都不行了。班主任建议她报名暑期的夏令营，西中每年都会举办这种培训性质的夏令营，合宿制的，除了在校生，当届录取的学生也能参加。

老师被人叫走了，只剩下小薇留在办公室里老老实实地阅读关于夏令营的资料。桌上的夏令营报名表和相关档案堆得乱七八糟，大概是之前递交表格的同学都没有太注意。

用不用这么拼啊，他们才高一而已！莫小薇一边感叹，一边将上面一叠报名表挪开，整理起来。

"哎？还有去年的名单啊……"她只是随意地扫了一眼，就发现了几个熟悉的名字。白尔雅、夏汐、聂天逸。白尔雅是芭儿的名字。

小薇还记得，去年暑假她刚从外地回去，就接到芭儿父亲去世的噩耗，可是谁都没有和她说过什么夏令营的事啊。

莫非，有猫儿腻？

07

这件事如果放在过去，最好的途径就是直接问夏汐。

这个清爽得让人嫉妒的家伙，从来不会在小薇面前隐瞒什么。

可现在呢，小薇却没那个信心。

虽然表面上一副不经意的样子，随意地瞄了瞄又一张被扔到男生桌上的纸条，但要是目光也有热度的话，恐怕那张纸条也该给小薇直接点燃了。

真想大吼一声，二报娘你可以适可而止了。

算什么嘛，纸条传了一张又一张，又不是没有手机，非要用这么古老的手段吗？

秀给谁看？什么目的？

总有种明知道虫子从身上爬过还不能去拍的感觉。

"莫莫，莫莫！有人找哦~"

"啊……哎？"

还没来得及爆发出来，目光又随着传话人的手指，移到了教室的门口。一抬头，迎上的是艾伶司天使般的笑容，和小薇第一次逃自习在楼顶碰到他那时一样。

"不好意思啦，最近家里的事情很多，可能暂时没时间调查了。"小伶一脸歉疚的表情，提了提肩膀上因大得有些过分而渐渐下滑的书包。

"又要早退？"小伶的身体不好，早退也是家常便饭，只是他这个样子，让小薇很担心，"身体没事吧？"

"没事没事，只是可能要休息到考试完了。"

"那就考完碰个头咯？"小薇叹了口气，她并不是真的期望小伶去查到什么，只是想要一个能够说话的对象。回头望了眼教室，看着教室里"蠢蠢欲动"的情形，等下又该花上很多时间解释了。

小伶乖巧地点点头，"那，期末考试最后一天，我在老地方等你。"

"嗯嗯，知道的。"

"不见不散哦！"像是要为她打气，小伶又回头比了个 V 指头。

"嗯！"

回到座位上，好不容易打发了那些好奇宝宝和业余狗仔。但艾伶司这么一来，小薇就更没有心思看进半点儿复习内容了。

哎，逃课算了。

"喂，要不要一起逃自习？"不是吧……谁和她有心灵感应啊。星星眼！

回过头，居然是夏汐那个家伙。

怎么，不和二报娘传纸条啦？你的婷婷可需要你呢。不满的话刚想要说出口，却又被男生接下来的发言，吓了回去。

"不如去约会看看。"

08

不如去约会看看。

在夏汐同学逃课约会的宣言冲击之下，小薇直到被拖到大街才从半失神状态下摆脱了出来。

对于夏汐这个乖宝宝来说，逃课，或者约会，都不像会从他的嘴巴里说出来的词，更不要说这还是那个正跟自己冷战中的夏汐了，总觉得今天的他似乎有些不同。

也不知道是不是因为这微妙的陌生感，被牵着的手竟然也逐渐有些发烫了，连心脏也开始跟着跳快了起来。莫小薇，你怎么了？镇定镇定！牵手什么的，又不是第一次。

小薇自己也觉得有些可笑，在两个人真正约会的时候，她才发觉那些所谓"约会"的事情，在很早以前都被她当做很普通的事和夏汐一起实践过很多遍，逛街、看电影、去她最爱的甜品屋……冷的时候也会把手塞进男生的口袋里，累的时候也会把头靠在男生的肩膀上，因为扭伤脚踝让他背过几公里的路，也有生他的气把他一个人丢在寒风里苦等的事迹……

其实一直都在对他发脾气，任性撒娇，但却完全没有自觉。仅仅因为他是自己身边最可以信赖的男生吗？

唔……用脑过度，好像会早衰哦……还是不要太过认真去想为好……

"莫小薇！"

"啊，哎？"

"拜托，大小姐，我们第一次约会你就神游太虚，你也太刺伤我了。"

男生故意做出很受伤的样子，却掩饰不了小薇再熟悉不过的温柔，"不过，这也确实像你会做的事呢。"

"总觉得你这话明褒暗贬。"

"你想太多，我根本就没想要褒……"

几句斗嘴令小薇的心情稍微开朗了一些，这才想起来，之前两个人好像正在冷战。

可是已经迟了，原来开口交谈竟是这么简单的一件事情，之前互不理睬的那些原因，转眼也变成了无聊的坚持。

毕竟是认识那么久的朋友了，不会因为一两件事就发生什么改变的吧。

比起聂天逸，也许她还是适合汐仔这样会温柔对待自己的人吧。这样的想法不自觉地冒出来的同时，小薇并没有注意到她始终在惦记那个总爱刺伤自己的人。

小薇一边舔着夏汐给她买的草莓冰淇淋，一边感叹着男生的胃究竟是什么构造，可以把冰淇淋一口吞掉。

"冰淇淋给你吃真是可怜，没有实现它的社会价值。"

"哪里可怜？"男生哭笑不得。

"本来应该给人这么一口一口细细品尝味道的……"小薇轻吮了几口冰淇淋，"不，是 kiss 哦！在 kiss 中慢慢融化，多浪漫。而不是被你'啊呜'一口就直接掉胃袋里去了。"

"你还真会幻想……kiss 啊，我们小时候也做过啊。"

"……什么啊……谁，谁和你 kiss 过啦？！"这么说来好像小学一年级的时候确实有过，不过……不过那仅仅是小孩子之间笨拙地表示喜欢的方式罢了。

"哎哎哎，你就这样不认账了，那可是我的初吻啊。"

"什么呀！小时候的事怎么能算啦，那时候又不懂！照你这么说，难道我的初吻还要算给你吗，我才不要！"因为紧张而变得絮絮叨叨的。

"是吗？"

"当……"捕捉到男生眼睛里的那一丝危险的时候，已经晚了。

下颚有些粗暴地被抬起。

口腔里是香草冰淇淋的味道。

"那么这次的该算了吧。"被推开的男生，脸上是相当认真的表情。

09

六岁的时候以为亲吻就能生出小孩。

十岁的时候学会拼 K-I-S-S。

十六岁的时候才知道什么是接吻。

潮涌声漫过肩颈，充斥了双耳。

近乎让人窒息的、不断汹涌着的香草海洋。

10

终究没有敢把下午的课全部翘光，但是其实回去学校上课也只是做无用功罢了。

经历了那短暂却又漫长的一刻之后，小薇的思考能力似乎已完全被夺去了，好不容易回过神的时候已经什么课都结束了。

就连什么时候教室里的人已经走光了，只剩芭儿陪坐在她的身边，她也没察觉。

"哎，小薇。你怎么了，和夏汐没和好？不会吧，我明明叫他霸王硬上弓的啊……"

"……嗯……算，算和好了吧。"小薇依旧恍惚，没意识到芭儿后半句里的真相。

"哈哈，和好了怎么还一副失魂落魄的样子啊？"

"那是……"和夏汐 kiss 了这样的话我怎么说得出口啦！小薇的心里开始不停地飙泪。倒也巧，"肇事者"在这个时候擅自出现了。

"那个，对不起。"

"哎，你怎么对不起小薇了？"芭儿似乎嗅到了空气里暧昧的味道。

"那是你的初吻吧……"夏汐像是不知道要怎么表达自己，欲言又止。

时间像是在这里停了停。

"……你们还真是进展神速！我可不做电灯泡了，先闪了，bye！"第一个作出反应的是芭儿，她迅速地收拾好东西，头也不回地奔出了教室。

"等下，芭儿。别丢下我啦！"芭儿走得太急，小薇想拉也拉不住，想追，却又没办法无视眼前的夏汐。

尴尬的沉默。

小薇小心翼翼地垂下视线，避免撞上男生过于炙热的目光。即使不接触，她的脸也已经是足已烧伤人的热度了。如果就这样把她烧成一堆灰消失在男生面前倒也好……

产生这样的想法，连自己也觉得太过懦弱。

小薇，勇敢点儿。不就是一个吻嘛！可是……却不知道他是怎么想的。

揣测着对方的想法，却不知道对面的少年也和她差不多无措。终于还是男生先忍不住，双手扶上了女生的肩膀。

"小薇，我……""夏汐！"

夏汐的话因为第三者的闯入而中断。温婷站在教室的门口，脸上是惊恐或是哀求，在黄昏的逆光里让小薇分辨不清楚。

一秒钟、两秒钟、三秒钟……小薇感到双肩上的重量随着某种温暖渐渐地远离了自己。

最终那个放课后，因夏汐跟随温婷的离开，由小薇孤单地拉上了帷幕。

只是小薇始终无法忘记夏汐临走时那个欲言又止的表情，最后变成了触不到的寂寞，寥落地消散在黄昏门口最后一道光线下。

"哭了？"门口再度出现的人影是那个她现在并不想见到的人，"真受不了，你怎么这么爱哭？"

"喂，别哭了，再哭就吻你了哦。"

"你喜欢的人要吻你了哦。"

"啪"的一声，男生的脸颊上多出了一片绯红。小薇警戒地瞪着他，手还举在空中。然而男生却不怎么生气的样子，只是抚摸着自己的嘴唇孩子气地笑出来。

"怎么样？我是不是比夏汐的技术好些？"

顿了顿，又不怕死地抚上了女生的脸颊，语调温柔得几乎要溺死人，"还是凶巴巴的样子适合你一些。"

11

不知道该说是小薇的幸运还是不幸。

回家翻日历的时候才醒悟到，没几天那最可怕的期末考试就要开始了。

现在无论是关于那些秘密，还是自己乱成一团的心情，都只能给期末考试让道。可以毫无顾忌地堵上脑袋里那些高低不一闹个不停的管风琴音管，假装自己只是一个塞满数理化 ABC 的考试机器。

考试历时三天，教室里也难得地出现了即使下课人也留得相当齐全的热闹场面。对答案，准备小抄，讨论着考试的范围或者是作弊的方法。

已经不止一次地看到身后长相介于谢霆锋和葛优之间（可以说是相当微妙）的男生在他的磨砂尺面、橡皮四侧上奋笔疾书。实际上，自己也在之前的小考中和中国移动联手帮助过不少发给她 SOS 短信的好友。

还好她一向品行良好，伪装也相当成功，老师一般不会特别注意，之前的考试也没出什么岔子。只要熬过这最后的三天，就能看到假期的曙光了。

莫小薇，加油啊！小薇暗暗给自己鼓劲。

最后一天考的是英文，提前了二十分钟把修改好的作文誊写到了答卷上，小薇倒开始对考试有一些恋恋不舍了。脑子里的音管们似乎又开始有了乐器之王的自觉，开始自发地把周围纸张与笔的窸窸窣窣当做伴奏，在小薇的脑袋里唱起了"回忆之诗"。

最早的操场上被写的告白大字报。

芭儿不肯透露的聂天逸未解的秘密。

夏汐和温婷之间她所不知道的牵绊。

去年暑假的夏令营。

还有不久前那两个吻。

生活怎么好像变成了一本推理小说，走到哪里都是谜团，身边的每个人都是可被怀疑的对象。无论推出何种结论都会被作者鄙夷地道出，你的修行还远远不够呢。

你逃不出我设下的局。

头大的时候，口袋里手机又突然震动了起来，这次哪位仁兄又需要帮助了呢，看来人缘太好也是一种罪啊。

小薇摸出手机，低下头想打开看消息。

突然出现的阴影。

想把手机放回口袋，可是已经来不及了。液晶屏幕上又投下一重阴影，接着是熟悉的、严厉的声音——

"莫小薇。"

从小薇手中取走手机的是正在监考的英文老师。

12

走上天台，夜风肆无忌惮地贴着皮肤灌进校服。莫小薇打了个寒战，发现夜色已经笼罩了校园。

艾伶司信守了"不见不散"的承诺，在楼顶上折着纸飞机。

"物理1号！起飞！"

轻盈的飞机上密密麻麻地写满了文字，走近才发觉竟是用期末考试的考卷折成的。

他回过头解释般地说道："考试那两天要去医院，结果缺考了。本想做好，等老师讲一遍的，可是，连那几天我也不能来。现在即使留着也没有什么意义了吧。不如，让它们也见识一下外面的世界。"少年振臂，又一只飞机驶向无尽的夜空之中，和夜幕里教学楼映照出的辉光融化在了一起。

"哎，老师不会为难你吧？"小薇担忧道。

"不用担心我，学校里会给我补考的机会的。倒是莫莫，总是皱眉头，是很容易长抬头纹的哦。"

"再这样下去，我真的要未老先衰了。"小薇自嘲起来，"如果能说着'恶灵退散'就把那些不开心的事情都赶走就好了。啊……恶灵退散！厄运退散！ MONEY 快来！帅哥快来！数学及格！数学及格！数学及格！"她索性对着远方不知名的建筑吼了起来。

"唉，这下舒服多了！"

"不愧是你，总是这么乐观。"

"不准取笑前辈！"

"哪敢啊。"小伶躲开小薇拍过去的魔掌，"对了，莫莫，你知道假面舞会吗？"

"那是什么？"

"我在美国的时候，每到万圣节就会有假面舞会，出席的人都要带上面具。关于舞会还有个传说，说是在舞会那天摘掉或是遗失面具的人，会失去自己最重要的东西。很多人都相信这个传说，所以都小心翼翼地带着面具……"

"小伶，你什么时候说话这么深奥了？"

"莫莫也有不想失去的东西吧？换成你的话，也不会摘掉面具吧。"小伶笑得依旧灿烂，但是夜风里却让小薇觉得异常的冷寂，"你想知道操场的事是谁做的吗？"

"不是温婷？"

"不是。"

"那你别说了。"

"其实你早就猜出来了吧。"

小薇打了个哆嗦，关于她的所有秘密，包括她喜欢谁，她一向都只会告诉一个人。

"而且你之前问我学校的那起事故也和她有关哦。"

"哎？"

"其实那只是一个意外，有个家长在参观日的时候失足从实验楼的楼梯上摔了下去，还叫了救护车。那个人，你应该认识，是白尔雅学姐的父亲，但听说之后并没有什么大碍。"

小伶的话让小薇当场愣住，她的嘴唇也颤抖起来。

"不……他死了。在打算出院的时候，因为突发的脑溢血。"

她说出的那些事实，仿佛石块重压在心上。她想起少年在天台上对自己的暗示，想起父亲去世后芭儿苍白的脸，想起两人都不愿透露的秘密。

应该只是巧合吧，小薇对自己说。

那些相互紧密咬合着的齿轮，随着时间的流逝逐渐出现了微妙的偏差，终于，某一天，脱离了原本的轨道。

然而命运却依旧转动着，不给人喘息的机会。

少年少女面对着的夜幕中，某间亮着灯的办公室里，英文老师看着小薇手机里标题为"救救我"的短信，露出疑惑的神情。

● 被恋人背叛了怎么办?

○ 聂天逸:如果她愿意回头就继续在一起,如果她不愿意就放她自由。

○ 夏汐:我对女朋友这么好,没有人会背叛我的。

○ 莫小薇:那要看他是因为什么原因背叛自己的,也许他有什么不得已的苦衷,也许只是一场误会。

○ 芭儿:和他分手,再找一个新的。

小提示:如果发现恋人有背叛自己的迹象一定要调查清楚,在还没有完全了解之前适当地装傻也是必要的!

01

每天早上都对自己说，要再变得坦率一些。

想要对你说"不"，说"讨厌"。

可是即使是你不在的时候，我也只敢在心里偷偷地这么说。

是因为最初，你在我心里种下的种子，它在说："喜欢你，不想被你讨厌。"我想要拔除它，却在心上扯开一道伤口，越用力，就越血流不止。它扎根在我心灵最脆弱的地方，延展出细长的根须，顺着血管的脉络占据了我的身体。虽然这颗种子萌出了小小的芽，长出了细细的枝，发出了嫩嫩的叶，开出了小小的花。但是它却越来越难以在我的心脏里吸取到更多"喜欢你"的养分。怎么说呢——

如果以"讨厌你"为比喻的话，我的心现在是一片你再怎么有本事都无法横越的汪洋；如果以"喜欢你"为比喻的话，我的心现在是一片足够困死你的沙漠。所以这棵小小的植物，现在就生长在一片烈日暴晒的沙漠上。

——你曾经看见过沙漠里的植物吗？露出沙面的只有矮矮的一丛，但是连根拔起的话，会发现下面十几米深的根系来，纠缠着半干涸的沙子或者泥土，一扯就形成巨大的凹陷，引爆足够吞噬一切的流沙。

就是这样的，想要拔出它，就要狠狠地把自己的心脏搞到塌方。我从小就懦弱怕事。你吃定了我懦弱怕事。

你是这样的吧。

你就是这样的。你一定是这样的。随便你承认不承认，你就是这样的。

你太狡猾了，所以我无法变成率直的自己。

昨天我又做了那个梦，梦见自己开始生锈了，将要皲裂的外表下，是长满黄色锈斑的面孔。

那心呢？如果我剖开胸膛，是不是也会看到一颗满目疮痍的心脏呢？

02

冰镇可乐里的气泡，轻轻摇晃几下，就不断冒出、上升、变大，然后又一个一个破掉。女孩子的大脑就像这样一瓶可乐，接二连三产生又破灭的是各式各样的妄想。

"和王子一样的人结婚""成为超级巨星""赚很多很多钱""和朋友永远不分开"……

透明狭长的管道是妄想通往现实的渠道，以为走到尽头就可以化身为被七彩光泽包围着的伸手可及的美妙幸福。但穿越之后才发现，也只能在人的体内化成一堆废气罢了。

小薇轻咬着吸管，望着两个男生走来的方向，喝光了瓶子里剩下的可乐。

"哎，看那个男生。"

"哟，蛮帅的。"

但是重点并不在此，而在于紧接其后的——

"两个人站在一起好相配呢。"

"你说哪个是攻，哪个是受啊？"

唔……如果非要说的话，他们两个之中应该夏汐比较攻一些吧……

唉，我想这个干什么。

不知不觉就顺着这种邪恶的思考回路认真地考虑了起来，夏天果然是一个会让大脑失去控制的季节。

聂天逸和夏汐同时出现的时候总是会在女生中造成不同程度的骚动。一个是拥有慵懒笑容和明星气质的公子哥，一个是散发着野性味道，如同黑豹般性感的阳光男孩。炙热的视线把整个空间切割得四分五裂，琐碎的议论从一个角落飘到另一个角落。

这也算是视觉强暴吧！虽然两个当事人在这种万箭穿心的状态下，依旧保持着目不斜视的状态从"万花丛中"走过。

之前自己也是这样看他的么？小薇偷瞄了一眼穿着宽松款 T-shirt 的聂天逸，心底却泛起了一丝苦涩……又往人堆里挤了一挤，还不想这么早就给他们发现了。

来到这里的事，事先并没有和任何人说过，总觉得这样突然出现的自己好像一个入侵者。

小薇还记得，芭儿的父亲因为出轨在一年前和她母亲离了婚，任凭芭儿怎么求他都不愿回心转意。而戏剧化的是这位抛弃妻子的白叔叔，还没有来得及再婚就去世了，正是初三那年暑假末尾的事情。

芭儿以毅然决然的姿态宣告了与父亲的决裂，她甚至没有去参加他的葬礼。但小薇是知道的，在这个家庭破碎之前，父亲对于芭儿是多么重要的一个角色。

她了解芭儿的不甘，见过她为了争取父亲，几次三番地打电话给她所能联系上的所有的亲属，还有父母的同事和朋友。她翻出相册里她和父亲的合影，一天一封地寄给和母亲分居的父亲，从没间断过，直到离婚协议书正式生效的那一天。

可最终还是没有能够挽回那个破碎的家庭。

小薇也见过那之后芭儿的消沉，知道她藏在笑容下的哀痛，她变得极少流露出自己的真实情感，只用最强势、最尖锐的一面示人。

最让小薇懊恼的是那年暑假，她随父母去旅游。在那段最难熬的日子，没能陪在这位挚友身边。好不容易一切已经过去了，芭儿好像已经忘记了那些不开心的事了。

如果现在去问她关于她父亲的问题，会不会又揭开那已经结疤的伤口呢？

可保持沉默并不是她的风格。

两个男生越走越近，渐渐进入了"警戒范围"。厕所前的队伍却依旧没有什么向前移动的迹象。还好，来之前存了些手机游戏。小薇摸出手机，躲在两个正在激烈讨论聂天逸和夏汐更适合蔷薇背景还是锁链背景的女生身后，开始打发时间。

该算她运气还不错，或者更应该归结于英语老师对她有爱，返校日那天，老师就把考试时没收的手机还给了她。仅仅是教育了几句，没有记任何处分，连成绩也是照常计分。

也是嘛，她是作弊未遂。未遂，而且还是"助人"未遂，不算大过吧？

果然是不知悔改的人。

唯一的遗憾是手机里的短消息，因为老师的操作不当被删除了几条。

"手机果然是你们年轻人的玩意儿。"老太太似乎非常的无奈。

这样那个不幸"阵亡"的同志是谁就不得而知了，事后也并没有谁来找她哭诉，很可能已经找到另一条"活路"了吧。真想和那位不知名的同志，共同庆祝这次数学的安全过关。

期盼已久的暑期本已该是以无红灯、无包袱、快乐的云南之旅拉开帷幕的，是她自己选择来蹚这趟浑水。一想到那两个似乎是越来越猜不透的死党和那些始终还笼罩在浓雾中的谜团，女生的脸庞不自觉地又笼上了一层阴霾。

"小薇？"糟糕，死掉了。

手机屏幕上亮出 game over 的字样，但随着一声熟悉的呼喊，这个并不安稳的暑假，刚刚拉开序幕。

03

"要参加也没告诉我一声，真不够意思。"

"啊……我不知道你们也参加嘛。"

不能说出是为了调查你们的事，只好用蒙混的方法含糊过去。

但着实有些不可思议，尽管其他三人对小薇的出现都感到相当惊讶，可是就连芭儿这样的脾气也只是埋怨了一句而已，并没有追问她一声不吭就来到这里的原因。

"或许不是不想问，而是不能问。"小伶回复的消息颇有深意。

就像一块轻微摇晃着的多米诺骨牌，保持着微妙的平衡，一旦倒下，则会引发一系列的连锁反应。

谁又能对这结果负责呢？

"那你打算怎么办呢？"

看着手机屏幕上的短信，小薇迟迟没有回复。原计划是见到芭儿以后，将之前操场上的事、她和天逸的事都问个清楚的，可是见了面以后却发觉，自己也仅仅能用更加的小心翼翼来回应开始变得小心翼翼的好友们。

小薇坐在床边环顾着空荡荡的房间。因为她是最后一个报名的，再加上人数不凑巧，老师只能单独把她分到一间寝室。听起来似乎很不错，一个人独占一整个房间。但是它的灾难性绝不亚于"食堂里有老鼠""二十多年来最严重的一次高温警报""宿舍里没有装空调""某学生的爸爸运了一车迷你电扇高价贩卖""强制性两个起卖"……

其实原本对夏令营这种东西还是有所憧憬的。

看来对生活，真的不能要求太多呢。

04

经历了这么多事情，觉得自己的神经好像也变粗了起来。

也学会了假装什么也没有发生过，平常的说话、平常的笑。

只要堵上耳朵，不去听心里的那个声音就行了。

其实每个人都是这样的。

课后本该留下来等她和芭儿的两个男生，却不耐烦地拿教室里的窗帘做起了实验。墙两边的窗帘角被系在了一起，垂下来两个漂亮的弧形。

"哎，像不像比基尼啊？"

"哈，不过还不够丰满！"

两个男生忙前忙后，只为了制造心目中的比基尼。凑巧一阵大风灌满了窗帘，吹出两个丰满的"胸部"。

看到两个"设计师"同时展露出的和美少年外表不符的陶醉且猥琐的表情，忍不住冲上前去拍了几掌。

"好大！"

"你是不是羡慕啊。"

"是啊，所以要打扁掉。"

一直到黄昏的时候，小薇疲倦地把头依靠在芭儿的肩膀上，看着几个赤裸着上身的少年在篮球场上挥洒着汗水，当然，夏汐和聂大少也在其中。

"芭儿，我、夏汐，还有聂大少你最喜欢谁啊？"

"你发烧了？"芭儿摸摸小薇的额头，好像没什么热度。

"回答我啦！"

"嗯……我考虑考虑哦……"

"还要考虑啊？"

"你你你，最喜欢你啦，你这个丫头！是不是非要改变我的性取向啊！"芭儿冲小薇翻了个白眼，做了个"我真受不了你"的手势。

"嘻嘻，我也最喜欢你啦！比那两个人都喜欢哦……"小薇轻轻地叹了口气，闭上了眼睛。

暂时就这样吧，这样就够了，也许保持现状也没有什么不好。至少我可以劝自己去相信，你依旧是喜欢我的，没有讨厌我。至少我还不用担心现在就失去你。

还有，人肉靠垫好舒服。

而被靠着的那个女生则是怅然地望着篮球场上的男生们，陷入了某种思考之中。

05

那种感觉宛若把钠投入水中发生的剧烈反应。

心的某个部分开始哔哔作响、小声爆炸，然后化成水面上丝丝的白烟消失不见。

表面依旧清澈透明的关系。

只是有什么溶解在其中化成截然不同的成分。

06

"啊！又都是没穿衣服的。"

"我才都是电话号码呢。"

小薇愤怒地看着手中一把只有数字3、4、5、6、7……的白色纸牌，火气大得几乎要超过今天的气温了。

下午的天气热得让人几乎无法思考，所有的户外活动都因为这样的高温而取消了。小薇一个人住得太过孤单，芭儿几乎每天都和她腻在一起，两个人躺在床上热得快要熔化的时候，门突然被敲响了。打开门，是带着一大盆冰块的聂天逸和夏汐。两个男生就喊着"消暑降温"的口号，冲进了小薇的房间，一点儿也没有会被寝室管理员发现的危机感。

关上窗户，把床上的凉席取下铺在地上，用冰块压住凉席的一角，大家席地而坐，稍稍地伪造出一点儿空调的效果。坐定下来，夏汐从口袋里摸出两副扑克。

"玩八十分啦！"

八十分、拖拉机、升级。虽然叫法有很多种，不过一样是小薇、芭儿、夏汐最常玩也最爱玩的纸牌游戏。因为是两个人一组，二打二的合作模式，三个人一起的时候，大都是小薇和芭儿一组，夏汐发配给路人甲乙丙丁。

"那就这样了？我和芭儿一家？"坐下的时候，小薇习惯性地选择了芭儿对面的位置。

"我 OK。"芭儿第一个点头。

"我也随便。"夏汐表示放弃选择权，随波逐流。

"还是抽牌吧，我们要公平游戏嘛。"

提出异议的聂大少，从牌堆中挑出四张，背面朝上，随意洗了洗，微笑着递到小薇的面前。

"抽吧。"

总觉得这家伙不怀好意，小薇还是第一个伸出了手。抽牌的结果是夏汐和芭儿一家，小薇和聂大少一家，一场似乎比夏日更火热的混战开始了。

07

没有路灯，只能凭着天空一轮皎洁的明月辨识方向。夜路走起来和白天全然不同，原本明朗的景色都浸没在黑暗之中，好像全部失去了活力。只有蝉鸣不改白日里的单调，依旧持续着……

被抛离的感觉抓着小薇，把她丢进比夜色更加深邃的黑暗里，有种这条路没有尽头的错觉。

可哪里都好……都比去面对那三个家伙好!

并不是她无理取闹,从抽边开始就觉得怪怪的,虽然她牌技是不好,不过也不至于会做出那么多帮对家倒忙的蠢事。聂天逸绝对是故意和她对着干,夏汐和芭儿却还无动于衷。总觉得那三个人,才像是一个一致对外的小团体。

没有她的容身之处。

就这么凭借着一股倔犟的怒气,不知走出多远,终于隐约可以看见远方的一间小屋。突然想到了之前同班的女生提到的离宿舍不远的荒废墓场,晚上从寝室的窗口可以看到那远远地亮着一盏灯,听说是守墓人住的小屋。

关于那里的传说很多。有人说过去曾有补习的女生晚上打那经过,给恶鬼拖走,再也没有回来过;也有人说,守墓人的小屋整晚亮着灯是在进行某种召唤僵尸和恶鬼的邪恶仪式。

小薇在原地站了一会儿,突然觉得害怕起来。

08

"他们怎么还没回来?"

芭儿望了一眼黑漆漆的窗外,开始沉不住气了。小薇负气离开已经是两个多小时之前的事了,至今没有回来的迹象,就连丢下一句"我去带她回来"的夏汐也完全没有消息。

"你不是发过消息给他们了么?"

"一个手机没带就跑了,另外一个,带了等于没带,打他电话都不接。"

芭儿强压下心中的不安,看了一眼身边的天逸。小薇突然参加夏令营已经让她相当意外了,这个平日里无忧无虑的让人羡慕的死党,这几天却一副心事重重的样子。

难道说她已经知道了?

不好的预感包裹了心脏,飞机失速般地急速下坠,将要触地的瞬间却又被来自手机的震动,悬在了空中。

是谁呢?芭儿按下按键。

"找到了?"

"……不是,夏汐找了半天了,但天色暗了很难找。"芭儿放下电话,眼里闪过一丝担忧，"现在怎么办？"

"那你希望我去找她吗？"

芭儿抬起头来，正对上聂天逸的眼睛，她突然就笑了起来，话也说得尖酸刻薄，"算了吧，你刻意在抽牌上做了手脚，花那么大劲儿把她气走，不就是想和我单独聊聊吗？有什么你就直说吧。"

天逸叹了口气，"我也不想这么做，只是你一直在躲我。"

"哦？我黏着小薇就是躲你？这我还真不明白了呢。"

"我想和你谈谈，有些事你也不想她知道吧。"天逸下意识地走近了一步，直视芭儿的眼睛。

芭儿一把推开他，"谈谈？你有什么立场和我谈！"

踉跄地退了一步，天逸苦笑地抬起头，他吸了口气，艰难地动了动嘴唇，"小雅，我想退出……"

"退出？"芭儿冷笑起来，"杀人凶手凭什么和我说退出？"

09

啊啊啊啊啊，真的有鬼啊！

快要走到小屋的时候，一阵风，很可能是传说中的阴风刮过，原本愈来愈清晰的光源体，竟好像被风吹灭般地瞬间隐匿在了黑暗之中，仅仅能辨认出屋顶的轮廓。还没有来得及决定下一步采取什么行动，突然间，屋后缓缓地移出一个黑影，开始朝她的方向靠近。小薇反射性地开始狂奔，路两边黑影憧憧，似乎还能听到背后追来的脚步声。

如果这个时候考800米绝对可以及格了，这种情况下还能这么想的小薇真佩服自己。半夜出现的人影不是鬼也一定是色情魔什么的，说不定是传说中的守墓大叔！无论哪一个都不要啊，我还年轻还不想死啊，我不想被先奸后杀啊……

哎哟！

脚下一个踩空便滑了下去。脚踝处的剧烈疼痛，把小薇一直强忍住的眼泪也给逼了出来。裸露的皮肤接触到的是湿软的泥土，似乎是落在一个被夜色和草丛掩护得很好的土沟里，但是……

抑制不住对那个黑暗中的追兵的惧怕，抬头看向逃过来的方向，银白的月亮下面，清楚地勾勒出少年单薄的身形。

"笨蛋。受伤了吗？"

"……"

"来，手给我。"

熄灭的灯重新亮了起来，照亮了少女的一整个天空。

10

并不止只是一盏灯。

那个时候突然飞出的萤火虫，就像是飘浮在空中的小小的星火，会聚成世界上唯一的光。

听说它们在十四个夜晚的光彩飞舞之后就会燃尽所有的生命力。

然而那之后无论过去多少个夜晚，对我伸出手的你，以及你身边不断流淌的光之河，却始终如初见时历历在目。

印刻在我的记忆里，任凭时间洗涤，都无法抹去分毫。

11

"能不能不走这条路啊。"

"不行，会赶不上门禁的。"

虽然对墓地有着巨大的心理阴影，但是作为趴在别人背上的那个，似乎是不能提出诸多要求的。这次真是被聂大少吓死啦，他居然认识那个守墓大叔，哦不，是大娘，还去大娘那儿问了有没有看到迷路的自己。大娘的职业也不是守墓，每天老早就休息了，只有墓地是确有其事，但是离大娘的家还是有相当距离的。

天知道，那么多耸人听闻的传说是怎么来的。

可是就算明白那些都是假的，聂大少一定要背着她从这块墓地里穿过，却还是让她觉得相当的可怕。想要靠聊天来分散自己的注意力，却总感觉越聊越恐怖了。

“会不会有人的手从泥里伸出来啊？”

“放心，他抓的是我的脚。”

“会不会有很漂亮的女鬼爬出来要吃人的心脏啊？”

“就算有，她的目标也是我。”

“……我会不会很重啊？”

“……”

“喂！你不说话算什么意思！”

“莫小薇。”少年的声音轻下去，“对不起。”

12

“不要丢下我一个人。”

银色的光从窗帘的缝隙中流散下来，在地面汇成一小块光斑，聂天逸望着睡着了的女生脸颊上浅浅的两道泪痕，倾听着她的梦呓。这个丫头居然在回来的途中就睡着了，难怪他说了那么多吓人的话，背上也完全没有回应。

“这句话，你又是对谁说的呢？”

手指划过女孩的脸庞，少年不自觉地俯下了头。

却又立刻清醒了过来，慌乱地抽回被熟睡的女生握着的手。推门离开的时候，又回望了一眼，床上的女孩依旧睡得很安稳，丝毫没有感觉到唇上那有些湿润的温暖。

而在房间外，一个人影正迅速移动到了走廊的拐角处，依靠着墙，把身体隐藏在少年的视线之外。望着少年离开的背影，身体禁不住地有些颤抖起来。

“小薇，你还真有本事啊……”嘴唇启合，倾吐出心里纷乱的情绪来。

13

“就是她吧？晚上有男生从她房间里走出来呢。”

“看不出来啊，长得还蛮乖的，原来是这样的人啊。”

“听说那个男的还是她好朋友的男朋友。”

"不会吧，好过分！"

总感觉周围的气氛有所改变，被某种不安的旋涡包围着。小薇一个人坐在游泳池边，寻找着芭儿、聂大少和夏汐的踪影。虽然她只是旱鸭子一只，深的地方不敢去，但是看着芭儿这种在深水区里也能像游鱼一般享受水的乐趣的人，就好像也能感同身受一样。

不，应该说是美人鱼。

破水而出的美人鱼，轻甩着发丝上的水珠，摘下泳镜，正在对她挥手。

看见芭儿对自己做了一个过去的手势，小薇也对芭儿摇了摇头。

"太——深——了！"离得有些远，只能做个口形，不过凭借着两人的默契，芭儿很快理解了小薇的意思。

"就在边上陪陪我好了。"猜口形的游戏还在继续着。

几个回合下来，小薇最终拗不过芭儿，沿着池边往芭儿的方向走去。

脚边就是一池幽蓝色的水，清澈得可以看到池底瓷砖的纹路。

看起来这样，却能淹死人呢。小薇瞄了一眼一边红字写的"深 2 米"，旁边还有人恶作剧添上的"此处为深水区，不会游泳的自带泳圈，没有泳圈的自拆轮胎。溺水由本村张二伯负责人工呼吸。"

张二伯？小薇想了想笑了出来。

可笑容还没消失，就变成了惊惧。

哎？踩空了？

小薇能明显地感觉到，那个瞬间绝不是因为自己脚滑或者不小心，确实是有一双手，一双冰冷的手，狠狠地在她的背上推了一下。

然后她就坠入了那池清澈的、却让她踩不到底的池水里。

14

小薇可以感觉到很多很多的水涌进了她的肺里，然后就渐渐无法呼吸了。

神奇的是，她一点儿都没有慌张，只是脑子好像一下空了下来……

她想起那天，她迷路的时候，听到了夏汐手机铃声，可夏汐却没看到她，一直在对着电话说"婷婷，你怎么了"。

于是她走了，故意躲着夏汐。

她还想起了芭儿，想起了小时候每次夏汐说喜欢她的时候，芭儿眼里的黯然；也想起了，她告诉芭儿她喜欢的人是聂天逸的时候，芭儿一瞬间改变了的表情。

小薇以为那会是她这一生看到的最后的景象。

她看到芭儿和很多别的女生一起无动于衷地看着她在水里挣扎，她们在笑，笑得很甜美，笑得花枝乱颤。

她看到聂大少焦急地把手伸向她，她从没见他这么慌乱过，要知道，平时他总是一副天塌下来也可以当铺盖的表情。他像是在叫她的名字，又好像是在说："笨蛋，抓住我。"

她看到夏汐疯了一样地也跳进水里，明明游泳都游不好，还想救人，救生员大哥，你还是先救他吧。

……

其实很多事，小薇一直都想知道，但知道之后，又希望自己从来都不知道。

她想要假装不知道，但那些人却一定要把一切都摊开放在她的面前。

小伶，你说得对，大家都小心翼翼地戴着面具，但是想要保护的东西，其实是自己吧。

15

"白尔雅，可以到此为止了吧，我不是你的傀儡，就算你看不惯我喜欢谁，我也没欠你什么……"

面色苍白的少女躺在病床上，平静地看着病房的大门"砰"的一声关上。病房里又安静下来，只能听见医疗仪器单调的电子声。小薇两眼空洞地望着天花板，感到了深深的疲惫。

但这安静并没有维持多久，门又悄然地被打开了。

站在门口的那个少年像是转了性子，收敛了玩世不恭的笑容，一脸担忧的神情。

"你还好吧？"病房里没有其他人，聂天逸径自在床前坐下。他望着小薇，眼里除了歉意还有懊悔和心疼。他知道芭儿瞒着他做了什么，但没想到，事情会闹得这么不可收拾。

小薇挤出一个虚弱的笑容，"放心，死不了。"

天逸越发内疚了，"对不起，她这次确实过分了。"

小薇摇了摇头，"虽然感情上接受不了，但我能理解她是怎么想的，而且，这也不是你的错。"

"事到如今，还想知道我的秘密吗？"为了逗她开心，故意用了开玩笑的口气。

"和实验楼的事故有关？"

"bingo！你真是神通广大呢。"

小薇却没有因此而雀跃，"那个人是芭儿的爸爸吧……"

天逸点点头，没有说话，眼神移到了别处，像是回到了很久远的记忆里。小薇轻轻地拉住他的手，少年转过头，就看到那双琥珀色的大眼睛正固执地望着他。

"你根本不可能会杀人的，对不对？"

他犹豫了一下，才回答："虽然只是意外，可芭儿父亲的死始终和我脱不开关系。"

听到这样的回答，小薇松了口气，"我就知道我喜欢的人，不会那么坏。"

原本皱着眉头的少年眼睛因此一亮，小薇却没有注意到，又担忧起来，"因为你觉得对不起芭儿，所以才会和她在一起吗？"

"那只是为了气你装装样子的，现在我已经退出了。"

"退出？"小薇这才发现天逸神情的改变，他怎么突然笑得这么开心？

"我记得有个人曾经怪我，不给她机会好好了解我。"

"哎？"眼前的冤家嘴角的弧度越来越大，小薇有种不好的预感。

"所以我打算给她一个机会，但不知道她可不可以也给我个机会。"

"你的意思是？"原本虚弱的心脏就好像脱开自己原本的轨道一头撞入大气层的小行星，被那些从未有过的热切所包裹，逐渐发热发烫，妄图撼动那整个巨大的星球。

少年用双手握住少女的手，轻轻地贴在唇边，一字一句地问她，仿佛在起誓一般，"我很需要你，所以，留在我身边好吗？"

那个瞬间，整个世界被轰然点亮了。

惊讶、喜悦，以及不可置信的情感漫无边际地流淌开来，最终在胸口会聚成一整片暖流。

并不是要哭，只是眼泪不自觉地涌了出来。

16

同一时刻，空荡荡的补习班教室里剩下一个人。

女生麻木地打开书包，开始收拾桌面上的东西。

"只是想吓吓她而已，为什么那时候，我没有及时去救她呢？"

芭儿自己也不知道，那只是比一瞬还要短的时间。

那些早就潜伏在体内的病菌侵染了身体。

不断复制，传染到每一个细胞，夹带着莫名的快感。

明明已经决定了的，无论如何都要补偿我对你犯下的过错。

可是为什么那个时候，我的免疫系统全部失灵了呢？

女生开始笑，笑声里夹杂着抽泣的声音，眼泪止不住地落在桌面上，打湿了几天前才用水笔在桌上写下的字迹。

"真丑，小薇你该去练练字了。"

"你们在写什么呢？哎，是祈愿吗？我也要参加。"

"你们看这里，有人在桌子上写了'夏汐和聂天逸 lovelove'呢。"

"好像是去年写的耶？喂，汐仔你想干吗？"

"为！什！么！擦！不！掉！"

"要成为英语达人""降温降温降温""不想被晒黑""请治愈夏汐这个白痴吧"……

"小薇和芭儿永远在一起。"

要永远在一起哦。

字迹渐渐洇开，模糊成一朵朵绽放的花……

然后被突然划下的美工刀，分割成扭曲的碎片。

● 分手的恋人回头找你，该不该再接受他?

○ 聂天逸：如果对方是我喜欢的人，只要我还没有喜欢上别人，我都会接受她。

○ 夏汐：同上。

○ 莫小薇：会考虑一下，当初为什么会分开，再作决定。

○ 芭儿：决不接受。

小提示：如果还喜欢他／她，一定要想清楚当初是为了什么理由而分手的，这个矛盾现在是不是还存在。

01

曾想过我们一直会是一个整体，亲密无间。

一如几亿年以前的蓝色星球上，尚未分开的那一整块大陆。

只是之后漫长的岁月里，纷杂的念头随海底开始扩张，心彼此疏离。等到发觉的时候海洋已经将我们隔断。

你在南半球，我在北半球。

02

险些就要以为只是一个梦罢了。

刚刚确立了关系，之后就因为住院而无法轻易见面的男女朋友应该也属于少有的吧？如果不是之前天逸留下手机号码给她，她一觉醒来几乎要觉得这一切都只是自己的幻想而已。

一整天，也不知多少次拿出手机看着那个昨天才保存的号码，然后傻笑出来。

从"起来了吗"发到"你不会突然反悔吧"，让那个收到消息的对象实在忍俊不禁。

话题绕来绕去最终绕到"也该出来一次吧",之后便迅速地演变成具体的时间地点,和偷偷瞒过老师和护士小姐各自踏上路程的两人。

约在游乐场的门口碰头,却又在车开到一半的时候临时决定去海边。

"女人真善变啊。"

"游乐场的人太多了嘛。我知道一片海滩,很少人去哦。"

小薇到达海滩的时候,天逸已经先一步到达了,正独自蹲在沙滩上找些什么。

不知道该用什么样的表情来面对突如其来的"男朋友",小薇越是走近心里越是忐忑。一步步磨蹭到他跟前,对方正好抬起头。

"好像抓到螃蟹了。"

"真的?我要看!"

专注地看着小小的螃蟹横爬过沙滩,留下一道浅浅的痕迹,在海浪的冲击下转瞬便消失不见。绷紧的神经也随着放松了下来,小薇拉着天逸开始寻找各式各样的贝壳。

皮肤偶尔会轻轻触碰在一起,湿湿黏黏的,带着彼此的体温。

"天逸!你看!我捡到什么了?"小薇举起在沙滩上发现的圆润的墨绿色宝石,对着阳光转动起来。

"哎,玻璃啊?"少年轻易地就夺了过去,然后发出不以为然的评价。

"哪有这种形状的玻璃?"

"因为一直在这里被海浪冲刷,所以变得像宝石了吧。"天逸笑了笑,将"宝石"还给小薇。

"是这样啊。"小薇略略有些失望,却又马上想到了什么,把"宝石"塞回男生手里,"送给你,你不觉得它和你很像吗?"

"哪里像?"

"乍一看离我们很远,但其实是身边就会有的东西。"

"原来我在你眼里这么不值钱。"天逸不满地揉了揉小薇的头,另一只一直握着的手掌松开,白色的贝壳落入小薇的手心,"诺,回礼。"

"你知道吗?贝壳能承载记忆,即使有一天我们都不在这个世界上了,也有这个贝壳记得我们的故事。"

顿时被满满的感动充溢了胸口,察觉到头上那只手的真正目的时已经迟了,"喂,我弄了一个小时的发型!"

"果然是为这个才迟到的。"少年大笑起来。

小薇看着这样放声大笑的天逸，某种叫做使命感的东西从心里生长了出来。

这样的他才是真正的他吧。之前的他，一直被自责和愧疚所束缚的。即便是笑容，也让人觉得背负了太多的东西。

如果可以，她愿意一直守护少年此刻的笑容。

"怎么了？"天逸低头看着突然冲过来抱住他的娇小少女，嘴上问着为什么，手臂却轻轻地又把她环紧了些。

"我们以后经常来玩好不好？"

"你喜欢来几次就来几次。"少年说罢打了个大大的哈欠。

"没睡好？"手下意识地触上了少年的面颊，这才发现他的眼睛里细小的红血丝。

"还说呢，一个晚上都没有收到你的回信怎么睡得好。"

听到这样的回答，心跳竟停滞了一秒，有些不敢相信，原来他也会像自己一样有不安无措的时候。

"所以补偿我一下吧。"轻握住那只还停留在自己脸颊的手，视线轻轻下滑。

小薇觉得少年的脸越来越近，湿热的呼吸喷在皮肤上有种直达心底的微痒。

这种时候，是不是该闭上眼睛？

"喂！这片海滩是禁止进入的！"

身穿工作服的老伯突然出现，上演了一出棒打鸳鸯。一起被遣上了归程，没有得逞的男生显然是相当的不满。为了分散他的注意力，小薇便找了个话题聊起来。

"怎么样，这片海不错吧？"

天逸点了点头，"女孩子都喜欢海吗？"

之前也曾被另一个女孩子带来过这里。

小薇并没有察觉到男生一瞬的恍惚，继续在心里筛选着两个人都能感兴趣的话题。一个接着一个，如同车窗外的风景，在不知不觉中流动过去。但即使是沉默小薇也宁愿这段路再长一些，可以把少年一直留在自己的身边。下了车，两个人牵着手在车站静静地坐着，女生的头枕在少年的肩膀上，直到少年乘末班车回家。

那一刻的感觉与周遭无关，仅在于两颗心安静得只听到彼此的声音，手心只感觉到彼此的温度。

天逸把小薇送到了家门口，在她的额上轻印了一下，才道了别。

小薇望着少年远去的背影，心里看不见的地方不安不断滋长。

只是一天就好像再也离不开他了。

03

每次见面都好像第一次约会似的，心脏兴奋地跳个不停。

这个暑假，对小薇来说是粉红色的。

当然，也很害怕，害怕变成不同的自己。

拥抱时就无法思考的自己。

他离开后就开始患得患失的自己。

总是会去想"万一有一天他喜欢上别人，我该怎么办"的自己。

于是莫小薇拿起了电话，开始寻觅"知心热线"。

先是打给小伶，感谢了之前的事。说到和聂大少的交往，小伶气得在电话那头直嚷嚷："我没有功劳也有苦劳啊，怎么不和我交往啊？"

挂线之后又打给了夏汐，他急急忙忙地说要送温婷去医院看病，没聊上几句，更加没有来得及说出在和天逸交往的事。

至于芭儿……

她没有打过去，但对方却打过来了。

说是有关于天逸的事情想解释，约定了在芭儿家碰面。

小薇到达的时候，一只纸箱刚被人从门里摔出来，箱子里的东西撒了一地。芭儿妈妈的声音从屋里传出来，拔高了的音调，听起来异常地刺耳。

"你还留着这些东西做什么？你非要气死我才好吗？"

"妈……我……"芭儿似乎想解释，却被一声响亮的巴掌阻止了。

刺耳的声音突然哽咽起来，"你又要丢下妈和那个贱女人的儿子在一起吗？你就这么想离开这个家吗？"

紧接着便是沉默，小薇站在门口进去也不是，走也不是。这才发现脚边躺着一只小盒子。大概是刚刚从箱子里滚出来的吧。出于好奇，她弯腰将盒子拾起来，自然而然地看到了盒子里的一只心形的中间镶嵌着粉红色水钻的银色坠子。

好漂亮啊，忍不住拿出来把玩了一会儿。摸到坠子的中央有一条缝隙，顺势用力一按，"啪"的一声坠子如贝壳般打开，里面是一张小小的照片。

照片上两张洋溢着幸福感觉的脸贴得很近，从来不知道这两个人还会有这样的表情。

一个自然是芭儿，而另一个……居然是天逸。

看上去像是三四年前拍的。

接着芭儿妈妈的声音又响了起来，"那你走！走得越远越好！"

莫小薇回过头，就看到芭儿从门里走出来，她的肩膀在颤抖，双手握拳捏得紧紧的。

她见到小薇，突然不可抑制地笑了起来。接着，目光落在了小薇拿着吊坠的手上，她说："这下，你什么都知道了吧。"

04

小薇将坠子捏在手心里，像是揣着一个随时会爆炸的定时炸弹。

即使是告别的时候，手也没有放开。

芭儿什么都没说，像是默认了她这种行为。又或者，芭儿是故意让她带走了这条链坠，在她的心上扎上了一根拔不去的刺。

天逸曾告诉过小薇，他和芭儿之前的交往只是为了气她而做的样子，但却从没说过，在很久之前，他们是否是比朋友更加亲密的关系。

思前想后，她还是拨通了夏汐的电话，约他出来。

"汐仔，你最近都在忙什么呢？"

"还不是温婷的事。"夏汐轻轻地皱了皱眉。

"她怎么了？"

"上次陪她去医院，医生说她得了抑郁症，可她就是不信。"夏汐顿了顿，又补充了一句，"你可别告诉别人"。

"严重吗？"

"还挺严重的，其实我本来也以为操场那件事是她做的，和她接触了一下，才发现她真的蛮可怜的……她这样，总不能丢下她不管吧。你还怪我？"夏汐一副可怜兮兮的样子。

可知道了真相，小薇又怎么能怪他，一直都知道他是个烂好人，不会放着看得见的麻烦不管，就像是阳光一样照拂到了身边的每个人，从小到大都没有改变过。

"是你太善良啦，换成别人谁会管这个事。"小薇无奈地叹气，"对了，我是想问你，你知道芭儿和天逸以前是不是发生过什么事，除了实验楼的事故。"

"哎？你也知道实验楼的事故？我以为她自杀未遂的事情只有我知道呢。"

这下小薇听不懂了，"你说的是谁？"

"温婷啊，还有别的什么人吗？"

05

怎样的情况下才会想要结束自己的生命？

小薇不明白，尽管她和温婷已经认识了十个年头，她发现自己对这个女生还是近乎一无所知。

眼下，正要进入她们认识的第十一个年头，随着新学期的开始，她们都是高二的学生了。

小薇最近的口头禅是"我荒芜了"。

她总觉得最近自己的生活只能用荒芜来形容。荒芜到没有人欣赏她用修正液画的指甲彩绘，荒芜到考完试就剩下对答案可做，荒芜到开始一个人思考生存的意义……

荒芜的真正原因还是聂大少。

和他见面的时候，装作不小心地从口袋里掉出了那只银色的吊坠，所有的问题就被赤裸裸地摆在了台面上。

"突然发觉，你真是很贪心呢。"少年的表情从无奈变为了疲惫，最终变成了淡漠的微笑，如同看不见的墙阻隔在两人之间。

"是啊，我是很贪心！"只是想要全部的你而已。

冲着走远的背影大声地嚷嚷，却还是不争气地掉下眼泪来。

小薇撑着脑袋，对着窗口叹气，本以为自己的生活已经足够戏剧化，但昨天打电话给姐妹们诉苦，却发觉别人的剧本比自己还要"跌宕起伏"好几倍。另一所学校上高一的表妹，遭遇已婚年轻老师的性骚扰，却还被同学误以为是她和老师搞不伦之恋；而在念大学的表姐和朋友一起出去玩，两个朋友一言不合吵起来，一个捅了另一个一刀，还被目击者拍成了视频上传到了各大网站上。

本来是去寻求安慰的，却颠倒了目的，变成了安慰别人。一直缠着自己的那些烦心事，在她们面前，真好像变得"屁都不是了"——这是表姐的原话。

然而别人的"痛"再痛也只是触动了听觉神经，形成一个痛的概念，不像自己的痛，即便是鸡毛蒜皮的小事，也还是会被大脑返还到每根神经末梢，然后无法遏制地切身地"痛"起来。

依旧还是叹气，难道我的存在就是为了在别人的人生华丽地跑上一次龙套吗？

"喂，莫小薇，你要不要跑……"

"绝对不要！"

"……800 米，你不想跑我找别人就是。"可怜的体育委员被吓得后跳了大半步，但还是很快锁定了下一个目标，开始了游说工作。

这么说来，运动会又快到了。

脑海里一瞬晃过男生纵身奔驰的影子，像秋季里第一阵风，只是轻轻地拂过，但却越发让人心灰意冷起来。

一阵秋风一阵凉，那凉意真真切切地在小薇心中。

06

在体育委员的软磨硬泡下，最终被拜托了写新闻稿的工作。看着那个平时嘻嘻哈哈的男生用那种从未有过的恳切口气和神情拜托自己的时候，总是让小薇联想到诸如"回扣""升官"之类的词汇。不过，她也知道那些当然都是不可能的。

或许，中学生涯里总有一两件这样让自己无怨无悔付出的傻事，即便是在别人眼里真的是又傻又逊，即便之后自己想来也真的是傻到极点，但是每每追溯起来的时候，却又总会觉得是最值得回味的记忆。

比如这样的一次运动会，比如为了兄弟和隔壁学校的男生大打出手，比如义无反顾地投入了很多年的单恋。

直到一切记忆都模糊成年幼时树荫下被拖长的影子，只有那时做的傻事，变成鲜明的颜色，被涂抹在了分辨不清的背景上。

虽然还不够成熟，但却拥有无所畏惧的勇气。

可以率直地遵循自己想法的勇气。

可以打破僵局，甚至刺伤自己，剑芒般的勇气。

随着年龄增长逐渐消失的勇气。

擦肩而过的时候，只是对彼此轻轻地点了点头。

虽然很想笑着说一句"傻瓜，都十年朋友了，我知道的"，就当做一切都没有发生过，但脸上的肌肉却总是在遇到芭儿的时候不听指挥，挤不出一丝笑容。

气的已经不是她对自己做过些什么，而是她为什么连一句解释都没有。

连一个让我原谅你的机会都不给我吗？

与此同时，学校里拉出了不同样式的横幅，开始张灯结彩。运动会开幕式的表演成了接下来的重头戏。

"你们班表演什么？"

"小品、魔术和钢琴"

"都谁表演啊？"

"魔术是聂天逸，钢琴是芭儿。"在第三次被问到这个问题的时候，小薇已经懒得去一个一个详细介绍小品的表演人员，除了少数几个对芭儿会弹钢琴表示惊讶的，大部分的人也都只是对聂天逸的魔术感兴趣。

真的相当佩服那个看上去懒散的家伙，也不知道他究竟还藏了些什么是自己从未了解的才能。

不过发现事实的时候她才发觉自己把聂大少想得太过全能了。被派去打扫学校后花园的途中，偶然间看到在花圃后面练习的少年，手里的扑克牌第 N 次撒了一地，她不禁要赞美老天，你果然是公平的啊。嘿嘿嘿嘿。

一不小心笑出了声。发现是小薇，聂天逸也没有表现出太多的惊讶，依旧盘弄着手里的扑克。

"既然不擅长，为什么还要选魔术呢？"

"只有钢琴独奏和魔术可以选，钢琴两三年没碰了，就只能选魔术了。"

"你还会弹钢琴！？"

天逸点了点头。

老天啊，刚刚的都是假象，你果然不公正啊！

感叹完，小薇才意识到这是冷战以来他们第一次对话。只是这么一察觉，便又沉默了。

"看来我还是有很多你不了解的地方嘛，你是不是应该再努力一些？"天逸先软下来，用一贯讨打的口吻问她。

小薇摇头，"没有用。"

"谁说没有用了？"

"我好累，你知道吗？这些事情一桩接着一桩，你的秘密实在太多了……"小薇转身想走，却被少年拉住了手臂，她惨然一笑，用力挣开他的手，"关于你的事我根本什么都不知道，对你来说，我不过是个外人……"

小薇头也不回地离开，少年没再去拦，只是看着一地的纸牌发呆。隔了一会儿，他弯下腰，拾起红桃 Q 放在唇边，发出一声轻叹："但那些都已经是过去的事了啊……"

07

换上演出服，小薇看着镜子前的自己，尖尖的瓜子脸，长发及肩，连衣裙勾勒还略有些青涩的窈窕身材。只是一双琥珀似的棕色大眼睛，被一层淡淡的阴郁笼罩着，失去了原本的光彩。

分配给她的是女明星的角色——他们将要表演的是"不要过度追星"的主旋律小品。难得可以在学校里穿漂亮的便服，从更衣室里出来正好遇到戴着魔术帽的聂天逸。

"果然是人要衣装啊。"男生的眼里闪过了一瞬的惊艳，不过依旧不改不坦率的语气。

小薇没有时间和他计较就上台了，表演结束，聂天逸还是在后台的老位置上，像是故意在等她。

"你还真是做什么都那么认真。"算是赞扬吗？

"那当然，我和你可不一样。"

"但就是对我半途而废。"

"那你对我又诚实了吗？"

不喜欢他玩笑似的口气，小薇的火气又上来了，可还来不及说什么，一个人突然紧张地冲到他们之间。

"不好了，芭儿受伤了！很严重。没法上场了！"竟是夏汐。

两个人都同时变了脸色，只是天逸更早一步先于小薇朝休息室的方向跑去。

事实证明夏汐的表述能力很有问题，芭儿只是在拆卸布景的时候压伤了手指，并没什么大碍，严重的问题是下面的钢琴表演由谁去。

休息室里所有人的目光都集中在聂天逸身上。

"我可不去。"天逸抢先撇清关系。

"算我拜托你的最后一件事吧。"正在包扎手指的芭儿缓缓地开了口。虽然是冷淡地带着命令式的口吻，然而其中的"最后一件事"让小薇觉得似乎有更深的含义。

聂天逸没有点头也没有摇头，只是扯着小薇转身走出了休息室。小薇挣脱不开他的钳制，只能无奈地跟上。

"你就这样放她走了？"芭儿望着休息室没有关好的门，冷不丁地讽刺了夏汐一句。

夏汐也不生气，"这句话原封不动地还给你。"

芭儿笑了，"你现在不追可不要后悔哦？"

"这是受伤的人该说的话吗？而且，放着伤患不管，我还做不出来。"夏汐叹了口气，看着眼前这个情绪特别不稳定的老友，不知道今天的她究竟怎么了。

女生的目光渐渐地柔和了下来，"夏汐……"

"啊？"

"你啊，就是对谁都太温柔了。"

08

后台的准备室里，负责化妆的同学正在紧张地帮聂天逸原本的魔术师造型改换成钢琴王子形象。

"要弹的曲子是？"

"莫扎特C小调幻想曲K475，怎么样，有问题吗？"

"有，第一节怎么弹？"

尽管天逸在表现出自己完全没有把握的时候也还是很镇定的，其他的同学可全都被吓得慌了神。

"别紧张啊。""乐谱在这儿。""慢慢回忆一下。""还有时间。"

临上台的时候，其他人都去舞台上搬运钢琴撤换布景，只剩下天逸由小薇陪着做上台准备。天逸从换好衣服开始就一直是一副恍惚的样子。莫小薇看到这样的聂天逸，顿时气不打一处来。

"聂天逸，你不是什么都做得到的吗？这个样子一点儿都不像你。"

"那怎样才像我？"

"你应该说，弹钢琴什么的，小 case 而已。"

"我用什么立场说呢？"天逸举起双手，连他自己都很惊讶，一向从容的他，双手甚至全身竟然都不自觉地在颤抖，无关乎个人意志。

"帮我个忙好吗？"少年无助地望着小薇。

"要怎么帮……"

"这样。"他仿佛孩子一般，举起小薇的手臂放在自己的脊背上，埋进女生的怀里。

小薇先是一僵，想要推开他，可少年偏偏无赖似的环住了她的腰。感觉到怀里的少年真的在颤抖，小薇本能地用掌心慢慢安抚他的脊背，男生才一点儿一点儿地镇静了下来，原本颤抖的手在她的腰上安静下来，抱得更紧了些。

"喂，这样还不够哦。"听到外面开始喊自己上场，男生抬起原本靠在女生肩上的头。

"哎？"

"还需要一点儿魔法。"

轻抬起女生的下巴，嘴唇落了上去。

究竟是谁的魔法？

男生已经上台演奏，莫小薇却被禁锢在原地。音符从指尖间行云流水般倾泻而出，眼前的整个世界都随着旋律起伏跌宕成了别种色彩。

"聂天逸，你这个无赖！"

甜蜜和不满两种截然不同的情感糅杂在了一起，让小薇寸步难移。

09

似乎永远不会疲倦的鼓号队，配合震耳欲聋的加油助威声，以及主席台上不断响起的捷报，整个操场上的空气似乎都被点燃了。就连班主任也穿着细跟高跟鞋，跟着运动员跑了起来，只不过冲得太猛，鞋跟扎进了排水孔，卡在了跑道上，导致比赛结果作了废。

课桌椅都被搬到了跑道边上，然而大部分同学都奔走在操场各个角落。

跳高、跳远、铅球、长短跑、接力赛……

每个人都毫不吝啬地付出自己的汗水和赞美，即便平时总是一副懒散样子的男生们也都露出了难得一见的认真神情，那些总爱对男生冷嘲热讽的女孩子们也都变身成超级粉丝团，呐喊到声嘶力竭。

好像完全忘记了之前她还对他说过："如果你也能得第一我就从四楼跳下去。"

当然这其中也还是有例外的不够热血的人的，比如莫小薇。

小薇百无聊赖地看着身边的同学们大都离开去给运动员加油鼓劲，只剩下几个坐在原地看着漫画小说，或者抱着习题集不肯放下，孤零零坐在桌子前的自己倒显得突兀起来。

随手抓过一张报纸，开始乱涂乱画。

只是耳朵时不时还是会收到一些多余信息，提醒着她荒废在一旁的本职工作。

"加油、加油、加油！许琳琳，你是最棒的！高二（3）班全体同学都爱你！

"高一（7）班王大致，你要是敢输了，就请全班哥们去泰国风情游吧。"

"高三（6）班张非阳同学，代表月亮惩罚你的对手吧！"

"高二（1）班聂天逸，加油加油，你胜利的话，奖励（2）班夏汐香吻一个。"

啊，居然被读出来了，这个广播员胆子也真大。

10

王子殿下，就算只穿短裤也是王子殿下。

这个例子在聂天逸身上得到了很好的证明。

在 50 米、100 米、200 米、800 米都得到了第一名的聂天逸同学，被初中部的女孩子们冠上了"王子"的称号之后，又被男生们修正成了"短裤王子"，多多少少有点儿酸溜溜的意味。

不知道是承受的怨念太多，还是之前新闻稿起了作用，小薇又听到那个甜美的女声从学校的大喇叭里响起，似乎还是强忍着笑意的。

"聂天逸同学在刚刚结束的男子 4×100 米接力中虽然脚踝受伤，但还是在夏汐同学的协助下坚持跑完了全程，让我们为高二（2）班（1）班的友谊欢呼吧！还有这两位同学深厚的情谊！"

广播员是同人女吧。

没有任何犹豫，小薇放下手中的笔，向着教学楼的方向小跑过去，桌上丢下的被揉过的纸条挣扎着舒展开了一小部分，露出"……天逸，决赛加油"几个字来。

11

聂天逸坐在教室的窗口，正好可以看到操场上热火朝天的景象。一旁的夏汐有些粗暴地从书包找出几个冷敷包，打开按在天逸肿起很高的脚踝上。

冷敷袋接触皮肤的那个瞬间，天逸皱了皱眉，头深深地低了下去，看不到表情。

"喂，我可是不会道歉的。"夏汐松开手，虽然眼前的人是因为他而摔倒的，可他却很想冲上去再把这人海扁一顿。

"放心，我也不打算原谅你。"天逸也不客气，针锋相对地顶了回来。

莫小薇背靠着墙，蹲坐在教室外的窗口边，分辨着两人的声音，总觉得心跳有些加速。她并不是刻意想要偷听，只是自听到这样火药味十足的对话起就失去了进去的时机了。

"刷"的一声教室里的动静突然又大了起来，桌椅和地面发出了刺耳的摩擦声。小薇心跳加剧，弓起身体，偷偷地瞧向窗口。

聂天逸校服衬衫解开的领口被夏汐攥在手里，夏汐的一只拳头已经高高地提了起来，然而对面的天逸却也是一副倔犟不愿妥协的表情。空气好像凝结在两个少年之间，无人的教室里只能听到彼此不断加速的心跳和沉重的呼吸声，一触即发的局面让窗口的偷窥者不知所措。

夏汐突然垂下了手，将天逸往后狠狠地推开。眼里竟是小薇看不出究竟的复杂情绪——失落、愤怒、心痛……

"你应该告诉她真相，不要伤害她让她担心。"

"我想怎么做是我的事，不需要你来帮我决定！"

事情的发展超出了天逸的预料，只是在比赛的时候把他和小薇冷战的原因说了出来，就让夏汐无视正在进行中的比赛朝他冲了过去，如果不是自己也给绊倒了，也许少不了要挨上几拳了吧。

不过因此伤了脚踝，也算是自作自受。

天逸不禁苦笑，"你是在担心小薇？还是小雅？总不会是在担心我吧？"看着绷着脸沉默不语的夏汐，他接着说，"如果是担心小雅，那大可不必，她是不可能再和我在一起了，我们的事早就已经是过去式了。她变了，我也变了，我们都明白已经不可能回头了。只是她变成今天这样，终究是有我的错。"

窗外的小薇听得有些心惊，然而双腿却仿佛在窗下扎了根越发无法离开了。她偷偷地看向那个让她那么喜欢的男生，虽然在笑着，可是说到"小雅"这个称呼时眼里却渐渐浮出浅浅的忧伤。

再次联想到那个吊坠，胸口像是被什么堵塞住，有些呼吸困难。

"夏汐，你真是笨。你要是真的在乎她，你怎么不早点儿把她追到手……"

"现在也不迟。"

夏汐没有丝毫犹豫，坚定地说出了自己的想法。

两人的气氛陷入了胶着，小薇无措地站在原地，一时间心情纷乱如麻。

"天逸我有事要和你说。"

凝重的沉默终被打破，不知道什么时候出现在门口的芭儿径自走进教室，把天逸叫了出去。走出门口的时候芭儿朝小薇的方向看了一眼，天逸也随即发现了躲在窗下的女生。

"天逸……"已经猜出真相大概，小薇突然有种错觉，如果这个时候，他离开了，她就会永远地失去那个只属于她的聂天逸了。

而天逸就那样地看着她，目光牢牢地锁在她的身上，却没有停住脚步。

12

小薇呆站在原地，向着两人身影消失的方向，不知道看了多久。

"离开他吧。"隔着打开的窗户，教室里的男生没头没脑地冒出来的一句，让她一时不知道该如何作答。

"……"

"和我在一起。"语气变得无赖起来。

小薇咬紧了下唇，"……我做不到。"

"我哪里不如他？"

"你没有不如他。"

"那究竟为什么呢？"

避开少年探究的目光，小薇低下头，"……我也不知道。"

"如果，非要在我们中间选一个呢？"

"你是你，他是他，你们是不一样的。"

"我现在觉得，我们认识的那十年真是好短啊……"那样落寞的语调，几乎不像是那个开朗到让人嫉妒的热血少年了。

在我们之后的人生里，你又会遇到多少个不一样的男生，又会不会就在我不知道的时候就牵起了别人的手。我是否依旧能一直在你身边，成为你可以依靠的人。

一直以来少年所担心的事，终于还是发生了。

可很快就像是什么都没有发生过，夏汐变回了原来的那个他，带着烫人的笑容，旁若无人地嚷嚷起来："喂，你可想清楚了哦，像我这么好的男人，可真是只此一家别无分号了。"

"对不起。"小薇的声音越发地低了下去。

"要是你改变主意，记得来找我，可以给你优惠哦……我想想，只要付给我一辈子的时间就行了……划算吧？"

"笨蛋！"拳头敲落在男生身上，变成"噗噗"的低闷声响，可以感觉到皮肤下骨骼的突起，和在她未曾察觉的时候逐渐坚挺起来的背脊。小薇不安地垂下头去，却不知道，少年的目光正落在自己轻颤的细长睫毛上。还没有来得及收回手，就被男生捉住了手腕。心脏猛地撞击了胸口，脑袋里亮起红灯，警铃大作。一种异样的感觉，从手腕爬升到脸颊，微微痒起来。想要抓，另外一只手却也被男生捏得牢牢的。

小薇抬起头，夏汐也正看着她，眼里闪烁着热切的光彩。是她的错觉吗？总觉得的汐仔的脸庞离她越来越近。小薇下意识地闭上了眼睛。

再睁开眼，男生的气息停在离她很近很近的地方，只是眼眸里的光彩已经消失，取而代之的是明晃晃的悲伤。

"没关系，在你不需要我之前，我一直都会在你身边的。"

13

头顶的树上缠着些彩色气球，是开幕式时放出的。

不想要的时候它们会飘向你，但真的用指尖一触却又飞向天空更远的地方去了。

小薇眯起眼睛，这就好像她和聂天逸现在的情况，越是想见面离得却越远。

"我会把一切都告诉你的。"

"嗯……"

"所以等我比赛回来。"

他在比赛的时候，她在休息；比赛完了，她又被老师叫去写标语、拉横幅。

因为找他而到田径场的女生硬被拉去填了计分员的空；为找她而去办公室的男生，被师长们当成了搬运的苦力。

但越是这样一再地错开，却又加剧了想要见面的心情。像是被愈拉愈长的皮筋，焦躁渐渐累积，蓄势待发。

直到比赛进行到最后的项目，两个人都从运动会的责任里解脱出来，从操场边退出的小薇看到少年焦急地向她走来，刚想上前一步，却又发生了意外。

"实在是没办法！拜托了！"

突然阻隔在两人之间的是为这次运动会鞠躬尽瘁的体育委员。果然没有及时退出田径社是一个超级大的错误，本该参加1500米的女生受伤退场，自己居然被挑中做替补，在老师和体育委员的软硬兼施下，小薇也没了法子。只能在心里一直说着"拜托了"并且低头合掌的体育委员，用上钩拳送上天，成为一颗璀璨的星星。

"我也一起参加。一个班不是能报两名吗？"

一直是以受虐小媳妇姿态出现的体育委员听到芭儿突如其来的发言，眼睛里简直都要噙着泪了。"那就太好了。1500米本来参加的人就少，就算都跑最后，你们两个也都能有名次啊！这样我们班就能反超一班了！"

于是小薇又从天逸的视野范围里被拉离。

换上衣服，推上跑道，发令，鸣枪，起跑。

学校的跑道是400米，1500米就是四圈不到一点儿。

第一圈的时候还能看到对着她们高喊加油的夏汐在场边挥着手，跑到第二圈的时候小薇就觉得自己腿已经开始不听使唤，变得麻木了起来。周围风景渐渐模糊，加油声也和风声混在一起，"呼呼"得愈发不清晰了。

脚下一软，几欲摔倒在红色的跑道上，是熟悉的手及时扶住了自己。

然后两个人就这么并排跑着。

好像自很多年以前就一直维持着的样子，无论做什么都是在一起。

"对不起。"

听到了事隔了很久的一句道歉，小薇突然就有了一种想哭的冲动。找不到合适的言语回应，只是简单的埋怨了一句，"笨蛋"。

"讨厌我了吧？"

小薇缓缓地摇了摇头，"我不会的。"

即使没有血缘关系，即使无关于爱情，你对于我来说仍是无可取代的。是随着时间渗入了神经的习惯，根深蒂固无法拔除。

"我小时候一直很喜欢夏汐。"芭儿眯起眼睛好像回忆起了过去的日子，"但是因为你，我从没有奢望过能和他在一起。"

"后来我遇到了天逸。"熟悉的名字在小薇心上重敲了一下，"因为我太喜欢他了，所以甚至连你都没有说。那个时候我潜意识里一直觉得天逸要是遇到了你，一定会被你抢走的。"

舌尖有些苦涩，小薇摇头，"我哪有那么过分。"

"现在我的预感也算是成真了。他真的喜欢上你了，而我也永远地失去他了。这条路是我自己选的，怪不了别人。"

"芭儿……"一向坚强的芭儿也露出了脆弱的表情，小薇一时不知道说什么好。但那样的脆弱也只在一个转瞬。芭儿很快又恢复成了那个比刀刃还要锋利的她，"但毕竟我们在一起也这么久了。他甩不开我的，因为那是他欠我的，一辈子都还不清的。"

她笑了起来，笑声里带着些自嘲的味道，因为正在持续着的奔跑，乱了呼吸的节奏。

"真是羡慕你。明明什么都不如我，但我想要的你都有。"

小薇轻叹，"没错，我什么都不如你，所以我一直都希望能成为你这样的人啊……"

正是被这样的羁绊相连着、拉扯着，一直走了近十年，除了羡慕，也有憎恶，有爱，也有恨。但更多的是把你视作无法分割的一部分，如果想要和你割裂，则会疼，会流血，会像是失去了半身。

"如果现在我说我还喜欢着聂天逸，你还会和我抢吗？"

小薇想了想，"我不会和你抢，我会和你公平竞争。"

"你还真是个笨蛋。"芭儿甩了甩头，突然开始向前冲刺起来，"因为你总是这么笨，所以我不想讨厌你啊。"发梢擦过小薇的耳廓，留下低低的一句轻叹。

"以后不会再有那样的事了，你也不用再顾忌我了。"

小薇眼看着自己被越甩越远，而伙伴单薄的背影被笼罩在夕阳的昏黄中，渐渐被光线削瘦，有种无法言明的寂寞。小薇突然觉得这个从未和她真正分开过的朋友好像就要这样独自越行越远，到一个自己永远也触碰不到的地方去了。

14

虽然只是得到薄薄的一张奖状而已，想到这张奖状也有自己的一份功劳，小薇心里还是很开心的，尽管之前的1500米让她恨不得说了一百遍以上的"我要往生了"。

运动会正式落幕，他们班获得了高二年级团体总分第一。

大家情绪高涨地讨论着这次运动会，陆续把课桌椅都搬回了教室里，就连年轻的女班主任眼睛里也闪着异常兴奋的光彩。

开个庆祝会吧。不知道是谁的提议，得到了热烈的响应。似乎是因为有了这份荣誉学校也变得值得留恋了一些。

偶尔这样似乎也不错呢。

刚刚还是半死不活状态的小薇，也举起手里的矿泉水瓶，想去凑个热闹。

却被突然袭来的一双手，拽出了教室，拖进无人的茶水间里。

"想要独处一会儿还真难。"想都不用想，是聂天逸。

"芭儿都和我说了。"

"哦……"

"其实……"刚想说什么，就听到外面有说话的声音，反射性地一把拉男生蹲下。下一秒便有两个同班的女生经过了窗口。

声音渐渐远去，小薇才敢长舒一口气。这一缓，却发现自己的处境不妙，竟被天逸揽在了怀里，想起身，却无奈男生的手臂箍得死死的。

被少年的双臂包裹着，靠在他坚实的胸膛上，彼此分享着体温和心跳。莫小薇放弃了挣扎，她已经精疲力竭了。然而与这周围的安静截然相反的，是她不断加速的心跳。想到男生可能也会听到自己的心跳声，就不自在起来。

"喂，过分了啊。"

"我们在交往啊。"天逸得寸进尺地把下巴磕在女生的肩膀上，猫一样地蹭了蹭。

"现在在冷战！"

"我倒是觉得你正在发烫呢。"

小薇无力反抗，只能气鼓鼓地嘟起嘴不说话，男生却又松开一只手拨弄起她的头发。

"我能问一个问题吗？"语气不似刚才那般调侃，"和我在一起，是不是一直让你觉得很累、很辛苦？"

小薇苦笑，也不去看他，"就算都是辛苦的事，只要是和你在一起也不会觉得辛苦。但我却讨厌你把这些都藏着掖着，不让我和你一起分担。我希望你能信任我，不要把我当做外人，就算都是痛苦的事，我也愿意和你共同经历。比起辛苦，我更害怕一个人被排除在外面，就好像你的世界并没有我，你明白这样的感受吗？"

"哈哈哈，我真是笨蛋呢，不过是幸福的笨蛋。"少年的气息喷在小薇的耳边，身体因为突如其来的幸福感在颤抖，"那么你会原谅我咯？因为我那么，那么地喜欢你，喜欢到想永远把你关在我的世界里，喜欢到想和你变成一个人。"

"……你这个家伙。"小薇的脸几乎要烧起来。

"原谅我好吗？"男生的下巴又蹭了过来，这次是在小薇的脸颊上。

"好。"

听见小薇细不可闻的回答，天逸松开手，将怀里的女生扳向自己，笑着捏起她的脸颊，把她的瓜子脸扯成了一个红彤彤的大饼形状。

"有时候真是羡慕那个家伙，比我早认识你 10 年……之后的人生里，你那些剩下的时间，无论是多少年都只给我一个人好吗？"男生轻轻地搂紧了怀里的女生，话音里无端地生出了一丝淡淡的寂寥。

小薇被禁锢在男生温暖的话语里，感到有些全身乏力。记忆如潮水般退回，充斥了一整年的像是要挑战她的极限般大起大落的情绪，那些快乐、痛苦、喜悦与焦灼不安交织成了与过去的人生完全不同的灵魂形态。

这就是恋爱吧。

"答应我好吗？"男生望着小薇，眼睛里好像燃起了一把火焰，热切的、充满希望的、温暖但是不灼人的，将这些天的烦乱都全部燃烧殆尽。

"嗯……"眼泪忍不住落了下来，坠在手背上，带着滚烫的温度……

15

"大新闻！大新闻！芭儿转学到 H 城县区的学校去了！"

直到再次返回学校的时候，小薇才明白芭儿那些话的含义。

"以后不会再有那样的事了，你也不用再顾忌我了。"

原来一切都是因为她的人生早已有了另一种安排，只是自己浑然不知。

"听说那个县城的学校很厉害哦，好像一个班的人都能考北大清华的那种升学率哦……莫莫，你在听吗？莫莫……"

小薇只觉得一直散乱在脑中的线一根根被驳接了起来，然后又一根根断掉。

连接着她和芭儿的线，最终只剩她独自扯着一把线头……

● 分开了，还是不能忘怀过去的恋人怎么办?

○ 聂天逸：展开一段新的恋情永远是治愈一段旧恋爱的最好办法。

○ 夏汐：努力把她追回来。

○ 小薇：让时间来洗清一切。

○ 芭儿：多做点儿有意义的事充实自己的生活，就不会想那么多了。

小提示：长期难忘旧情，很容易使现在的恋人受到伤害。要提醒自己，现在永远比过去重要。

01

眼泪有很多种，感动的、喜悦的、悲伤的、痛苦的。

无论是哪种都由那些琐碎的、细小的情绪牵引着渗入到体内，不受自己的控制。

于是容貌也好，感官也好，言语也好，思想也好，虽然依旧都是属于自己的一部分，但是却渐渐发生了微妙的变化。

认识天逸以后就好像越来越爱哭了。

但是却不讨厌这样的自己。

02

莫小薇没有想过，一直在身边的人总有一天会离开，一直在一起是那么理所当然。直到那些自以为是的"羁绊"被轻易地扯断，才知道从来不存在什么"理所当然"或者"天经地义"。

无论是父母无条件给予的宠溺，还是男生固执地要保护自己的誓言，又或者是死党一直以来对自己的退让。记忆就像自舌尖渐渐融化，慢慢从糖衣下渗出苦味的药，侵蚀了整个口腔，却也在芭儿离开时让小薇明白了她与自己的病根所在。

因为在一起太久了，所以总是会喜欢上相同的东西。

"小薇，你选文选理啊？"邻桌的女生拽了拽小薇的衣角，再次把她从神游中拉了回来。地球少了谁都要继续转下去，显然对于莫小薇来说，地球转不转还是其次，眼前更重要的是决定人生的"重大选择"。

瞟了一眼前面的夏汐，自从运动会后明显消沉了很多的少年，正心不在焉地抄着黑板上的笔记。似乎是因为这些天心情一直不好的缘故连带对那个二报娘也总是爱理不理的，很是让小薇暗爽了一把的。

那家伙偏科得厉害，肯定是选理吧。而号称全面综合发展的自己，说白了，逃不过万恶的数学，还真是选什么都一样。

不过，如果选文的话就要和汐仔分开了。

自从铁三角缺了一角之后，小薇就产生了一种莫名的危机感。总觉得连那个万年牛皮糖的影子也开始变得淡薄起来，好像随时有可能消失在教室的某个角落里。

莫小薇皱了皱眉，不理会邻桌的问题，扑倒在课桌上。

神奇的课桌啊，请赐我力量吧，好困……

"你给我死回来！不是说好了一直在一起的吗？"在梦里大吼大叫，拉着芭儿的手，想硬把她拉回来。只是还没拉动半分，就被一个"包藏祸心"的纸团打醒了。

"笨蛋，流口水了。"纸团包裹的橡皮上歪歪扭扭地写着几个大字。

只能恨恨地看向教室那边男生得意的笑脸，默默咬牙，"什么危机感，我真是想太多了……"

03

下课后，夏汐由于摸底考成绩不佳被"灭绝师太"拖去办公室面谈，艾伶司来接小薇。三个人在走廊"狭路相逢"。夏汐没有见过艾伶司，只是认识他身上的初中部校服，一点儿不客气地揶揄小薇。

"哎，刚刚拒绝我，就茶毒祖国花朵了啊？"

"你不也和灭绝师太人约黄昏后嘛。"

"哎，小弟弟你可别给这个姐姐带坏了。"夏汐倚老卖老地摸了摸小伶的头，一副前辈的样子。

"少来，这是艾伶司，下次再好好介绍给你。"拂掉夏汐的魔爪，小薇开始把某人往办公室的方向推。

送走了夏汐，就发现小伶正用闪烁着十字星光芒的眼睛看着自己。

"这是你第几次拒绝夏汐学长啊？"

"不知道……完全数不清楚……"小薇吐了吐舌头，"你关心这个干什么？"

"夏汐学长可是我情敌排行榜上的第三名啊。"

"那聂大少呢？"

"是第二名。"

"第一名是谁？"

"周杰伦。"

"那夏汐应该是第四名……第一名是山下智久。"

喂喂，重点不应该是第几名，而是"情敌"吧？小伶同学深感自己的恋爱之路依旧是"漫漫其修远兮"啊……

04

小薇早就觉得艾伶司是个早熟的小鬼，不过没想到他还真的掏出一本封面写有很大的颇有欲盖弥彰意味的"绝密"两个字的本子，开始涂涂写写起来。

凑过头去瞄了几眼，标题还都很劲爆，譬如什么"校长的外遇档案""高三年级摸底考考题"之类的。发现小薇有偷窥的嫌疑，小伶收起本子煞有介事地咳嗽了两声，神秘兮兮地把小薇拖到街边的圆桌上坐下，说出了前几天去医院时，碰巧遇到温婷时的见闻。

"我听见她和医生吵得挺厉害的，好像她家里还不知道她生病了。"

"她的病能治好吗？"

"我看她的情况，恐怕挺困难的。"

抑郁症吗，想起夏汐说的她自杀未遂的事……小薇眼皮突然跳了跳。别是要发生什么不吉利的事，她揉揉自己的眼睛，但心事却始终放不下来。

"这样的表情完全不适合你啦。"小伶像是看出了她的心思伸出手揉了揉小薇皱紧的眉心。

"小伶，为什么要获得的自己幸福就必须破坏别人的梦想呢？怎样的选择才是对的呢？"

小薇又开始拿小伶当"知心热线"，已经习惯了的小伶，只是无奈地摇了摇头说出了自己的想法。

"我觉得，只要不后悔就好了。如果必须做出选择，那无论是对是错，都不要让自己后悔……反正……反正我们还小嘛！"

不让自己后悔吗？

小薇在看到正迎面走来，对她挥手打招呼的男生之后，眉头一下舒展了开来。

她并不后悔。

"怎么退社了？"天逸明知故问。

"目的达到了呗。"在一起久了，小薇也学会了他的厚脸皮。

"哎，周末要来看我比赛，省内校际田径大赛，我是代表。"

"在哪啊？我考虑考虑。"

天逸假装生气地捏了捏她的脸："在 H 城举行。"

05

于是就踏上了旅程，还拖上两个"共犯"。

和爸妈谎称在同学家住两天，实际上坐上了前往 H 城的火车。这是小薇有记忆以来第一次坐火车，很小的时候妈妈也曾经带自己坐过，只是已经完全没有印象了。

所以虽然只两三个小时的路程，还是觉得相当的新鲜，而且这次的主要目的是去找在县城上学的芭儿，至于聂大少的比赛，只是"顺便"而已。

"喂，你们说，去县城应该走哪条路啊？"

"到了再问吧。"

夏汐和小伶头也不抬地沉浸在火热的 ndsl 联机对战中，迅速在游戏中建立起了友谊。受到冷落的小薇只能看着窗外随着火车启动开始倒退的风景，拿出 MP3 来解闷。女歌手清澈空灵的声音流淌出来的时候，小薇觉得自己似乎已经很疲倦了，却总有那么一丝不安让她睡不安稳。

其实小薇也知道有些东西修补不好。

就比如那天偶尔翻旧书的时候掉出的卡通贴纸，是小时候她从芭儿那儿争来的。突然发觉，虽然一直在一起，可是那些快乐的事却渐渐随时间简化成"我们在一起很快乐"这样的单句，而那琐碎伤人的画面，却变成了细小的玻璃碎碴明晰地嵌入了皮肉里。

就像那张曾经在争抢中被揉得皱巴巴的贴纸，在书里压夹这么多年之后，依然有些蜿蜒突起的折痕，就像脉络清晰的疤痕。

06

一觉醒来，火车已经开进 H 城，下了火车直接打车到了体育馆。到达的时候，开幕式正要结束。

聂天逸是选手代表，站在话筒前依旧是那副从容的样子。念完选手宣誓词之后，代表学校把优胜的锦旗交换给大赛组委会。

小薇疑惑，"我们学校是上届大赛优胜？我都没听说过耶！"

夏汐摊手，"反正你从来都没有什么集体荣誉感。"

小伶看不下去了，"……你们两个别吵了，比赛就要开始了。"

大家的注意力这才都被拉回到了场上。

不可否认，聂大少的魅力是放之全国而皆有效的，还没有开跑就吸引了不少眼球，当然也有开幕致辞的效果。看着男生在跑道前做着准备活动，小薇突然很想冲上去抢过一个麦克风大声向所有人宣告，这是我的男朋友。

这个比任何人都帅气，比任何人都耀眼的男生，是我莫小薇的男朋友哦。

什么时候竟变得这么喜欢他了……

小薇开始自我鄙视，总觉得喜欢过了头就输了，干脆侧过脸逼自己不去看天逸比赛的样子。只是发令枪响的时候，没出息地又被吸引了回去。

之后眼睛里就剩下已化身为风、席卷了整个赛场的男生。

不满自己的表现，趁天逸休息，就发了条威胁的短信去。

"我们先去看芭儿，不继续陪您了。"

对方只是幽幽地回了一条："芭儿的学校是全封闭式的，谢绝一切外访。"

07

寝室里，芭儿揉了揉略带红肿的眼眶，回想起过去几天的生活。

5点起床，一个小时晨练，接着早读开始一天的课程。晚上6点下课，自习到8点，9点半熄灯睡觉。

学校从来没有如此接近过一座牢房。生活也从来没有这么像一摊死水，完完全全地被困在那个小天地里。只是到了这样一个地方，心却反而更加静不下来了。

想到来之前越狱题材的电视剧正在网络上热播，芭儿心里不无自嘲地想，要是来之前多看看就好了，有需要的时候也好想个办法逃出去。

什么是有需要的时候？就比如今天，逃了自习回到寝室的时候看到聂天逸的短信——

"我们都来了，在市体育馆。"

虽然不能确定这个"我们"和"都"具体包含了谁，芭儿没有回复，回复也没有意义，因为她出不去。在之前的学校里被大家形容为"肆无忌惮张牙舞爪"的自己，现在就好像笼子里的困兽，想到这里她又自嘲地笑了笑，她还不如野兽，她已经被驯养了这么多年了。

或许就像聂天逸所说的她和小薇就是两个矛盾的综合体，小薇是不知道自己想要什么，却凭着直觉勇往直前；而她是明知道自己想要的是什么，却还不断地去试探。

彼此伤害之后，才发觉对方的重要，却又无法弥补那些已然产生的裂痕。

心情不好，便在床上赖到下午，现在这个时间其他同学都在自习教室里温书，学校里完全看不出星期六的样子，偌大的校园里就只有她一个不务正业的。走到阳台上伸了个懒腰，却发现远处校门口传达室的大叔又跑出来训人了。大概又是不了解情况的人想要进学校被赶出来了吧？校门口的人影几乎模糊到不可见，却总觉得有些熟悉，莫非是小薇他们？不大可能这么巧吧。

虽然心里这么想着，芭儿还是忍不住冒着逃自习被发现的危险，跑下楼去。

到了校门口果然半个人影也没有，还差点儿被看门大叔抓包。之前那群被撵走的人，已经毫无踪迹。哎，原本走正门就不会有什么出路……

念头在心里一闪而逝，但瞬间像是抓到了什么，芭儿迅速往学校的偏门跑去。远远就看见生锈的大门，淹没在丛生的杂草里，斑驳大锁静静地垂在门上。

眼里闪过一丝失望，却又因为捕捉到青黄草丛中一朵白色而呼吸急促了起来。

洁白的香水百合插在大门的铁条之间，和锈迹斑斑的大门显得格格不入。芭儿取下那朵百合，扑鼻而来的是百合特有的隐隐幽香。

"亲爱的，你知道么，我们这种关系就叫做'百合'！"电脑课，某人突然两眼放光地把脑袋凑过来。

"你又从哪儿学来的乱七八糟的东西。"另一个白痴也来凑热闹。

"嘿嘿，汐仔你这就不懂了，你看网上写的，百合指女孩子间深厚的感情，比单纯的友情深厚，多表现为依恋甚至喜欢……"

"好好……百合就百合。"再不阻止，这两个人又要闹起来了。

"那以后百合就是我和芭儿的相认标记哦！"

好像自来到这个地方起就开始累积的眼泪终于冲破了最后一道防线，不断自行落下……

原来自己是这么想念那帮家伙们。

落在寝室里的手机上显示一个未接来电，和两条未读短信。最后一条消息显示的是——

"我们先回去了，在偏门有留下信物给你哦！"

08

原本和小薇他们在一起待着的时候，芭儿除了嘴巴比较毒以外一直是优等生的典范，从来没有尝试过逃课，更不要说翻门、单独旅行这样比较出格的事情。这次倒好，一次过足了瘾，一逃居然就从一个城市逃到了另一个城市。

就在小薇他们离开后的礼拜一，芭儿终于越狱成功了。

在教室外的走廊，小薇见到芭儿的时候几乎是雀跃着冲上前去拉紧了她的手，很久都不愿意松开，然后又撅起嘴巴问她讨要信物。

"喂喂，把我们都当成电灯泡啊。"夏汐有点儿不满地看着直接无视了他的这个青梅竹马三号的两个女生，小薇和芭儿回过头看到夏汐有点儿酸的样子，默契地相视一笑。

芭儿像是想到了什么拉过小薇，把头凑到她的耳边，神秘地叽咕几句。三个男生都好奇地看着，也不知道她们说了什么，只是看到小薇的表情一下变得很惊讶，之后又慢慢释然。

按捺不住好奇心，夏汐刚想要插进去捣乱，却被校园情报员的小伶一把拉住。

专业人士还没行动，你凑什么热闹，小伶的眼神传达的似乎是这个意思。芭儿说的肯定是有关聂天逸的事。

也许到了这个时候，坦然地面对自己的情感，小薇和芭儿的问题才算是真正解决了。

那自己是不是也应该采取一些行动了呢？小伶也很伤脑筋。

09

大部分时候命运都是一个喜欢开玩笑的家伙。

而且通常讲的都是一些冷笑话。

小薇他们还在走廊上，二报娘从教室里出来看到芭儿，就突然惊叫了起来。大家都被吓了一跳没有想到她会立即通知老师。

二报娘果然是二报娘，不会辱没这个称号。

老师很快就和芭儿的妈妈取得了联系，小薇从自习课上溜出来看到芭儿在办公室里讲电话，越讲越激动，连一边的老师都上来拉着她。

通话持续了一个多小时。

直到放学的时候，芭儿才挤出疲倦的笑容从办公室里出来，说她妈妈半个小时以后来接她回去。这时温婷也才走出办公室，脸上的表情很呆滞，手里的试卷分数似乎是标红了。

走路的时候目光也不知道聚焦在了哪里，狠狠地撞了天逸一下，茫然地摔坐在了地上。

聂天逸讶异地看着她，然后突然想起什么，抓住了她的肩膀，"那天是你，是你把白叔叔推下去的。"

女生惊恐地后退了一步，"不……不是……"

天逸却看不到她眼里的恐惧，一步步逼近，"没错，就是你！你自己想死就算了，为什么要害别人？"

这句话就像是给温婷下了定身咒语，女生转过头惊恐地看着小薇，吃吃地笑了起来，眼睛里有小薇读不懂的疯狂和绝望。她疯了一样往楼梯上跑去，嘴里咿咿呀呀念着旁人听不懂的话。

夏汐第一个反应过来，追了上去，他叫着"婷婷、婷婷"，但是女生只是头也不回地继续跑着。小薇、天逸、芭儿、小伶也随着察觉出事态的不妙，跟着追了上去。

"回来，不要做傻事啊。"

无视身后劝阻的声音，女生冲上了楼顶的天台，头发飞扬在风里。她眼里有着莫名的光彩，手里捏紧了试卷，像是握着最重要的宝物。她跨过楼顶的围栏，看向地面的时候竟没有一丝恐惧，她让身体向前倾倒，仿佛风里摇曳的小枝丫，随时都有可能被风从楼上扯去。

之后她轻轻地一踮足，随着风势就倒了下去。

"抓住我。"

关键时刻赶到的夏汐紧紧地拽住了温婷的右臂，他匍匐在地上，把自己的另一只手也伸了出去，想让女生拉住。可是悬在天台边的女生却微微地摇了摇头。此时众人都已经赶到了天台，纷纷把手向温婷伸去，可是那个可怜的女生只是一再摇头，直到夏汐再也支撑不住她的重量。

"这个世界不需要我啊。"

脱手的瞬间女生的眼睛里还蕴着泪光，脸上竟露出了微笑的表情。瘦小的身体如断了线的风筝一般，在小薇的眼睛里用慢速播放，缓缓地坠落在地面。

只是几秒钟的时间，小薇却觉得过了一整个世纪，所有的声音和色彩都被瞬间切断，只有一片漆黑，和在漆黑中不断坠下的女生。

接着就是一声撕心裂肺的尖叫，引发了楼底此起彼伏的惊呼和叫喊。

生命竟然如此的脆弱。

死亡的感觉比自己溺水时还要来的真切鲜活。

仿佛连自己的呼吸也因此而停住了，绝望卡在咽喉，发不出任何声音。

10

坐在地上的夏汐手心满是汗水，只觉得全身无力。

温婷。女生最后绽放的微笑像黑暗中盛开的荼蘼，扎根在了内心深处。

其实原本并不喜欢这个女生，也隐约发觉了她的异常，在她说出自己秘密的时候，更不能丢下她不管。抑郁症，实际上并不了解这个病症究竟会有多严重，只是在网络上查过后隐约地有些同情那个因为生病而不断地伤害别人和自己的女生。

或许因为自己是女孩唯一的依靠，便自以为是了起来。时间久了，原本新鲜的助人劲头渐渐变成了疲倦和厌烦。自己也不过是个伪善者，自私，自以为伟大。如果自己可以成熟一点儿，更好地处理这件事，或许就不会酿成今天的悲剧。

那个女生的自卑也好，绝望也好，痛苦也好，以及甚少出现的快乐也好……自己是唯一的知情者。

这些情绪好像是无法扑灭的火焰，促使着夏汐朝天逸一拳打了过去。

"杀人凶手。"

11

再之后的发生的事，小薇至今觉得没有什么真实感。

天逸的嘴角流出血来，可却像是灵魂出窍了一样站在原地，不知道在想些什么。

匆匆赶来的班主任，把小薇和夏汐直接拖进了办公室。

所以小薇没有看到那一幕。

据说，聂天逸用力去拉扯天台上的铁栏发泄。

据说，那些早已生锈的铁栏居然经不起折腾，直接断了一截出去。

据说，守在他身边的芭儿当时还靠在那些铁杆上，猝不及防人就仰了下去。

据说，天逸开始是拉住她的手的，只是手心的汗太多太滑……

12

城西中学一直是一个话题中学，虽然有很多话题已经明令被学校禁止谈论了，但是又怎么堵得住"悠悠众生之口"。各式各样的话题，依旧被广大学生作为茶余饭后的谈资，乐此不疲地传播着。

而最近流传最广泛的故事则是关于一个得了抑郁症的女学生。

其中最可信的版本是说，这个女生得了抑郁症却不敢和别人说，发消息给全班的同学求救，却遭到漠视。之后因为考试成绩不理想而遭到老师的责骂，还被男朋友抛弃，受不了刺激最后选择坠楼自杀。当然期间还穿插着这个女生和前学生会长争抢男友，结果会长大人落败，转学其他城市的八卦，以及之后会长大人心有不甘，从转学城市又杀了回来，和那个抑郁女大打出手，双双坠楼，一死一伤的悲剧结尾。

故事传得热闹，也没有人会去深究其中的假假真真。

在这个故事带动下还火了一系列后续的小道消息。

譬如，那个蓝颜祸水的男生，被自杀女生的父母在学校里围殴，没过几天就转学了的小道。

再譬如，学生会长其实是要救人，只是因为栏杆年久失修才坠楼，现在伤情严重的小道。

或是，连续蝉联两届不记名投票"城西最可爱男生"的新闻社社长因为心脏病将要出国治疗的小道。

等等等等。

13

艾伶司走的时候，只有小薇去送他。他对小薇说："我本来是有话想和你说的，可是发生了这么多事，只能暂时保留了。"

小薇笑他："那有什么关系，等你想说了上网给我留言就好了。"

小伶愣住，犹豫着想要说什么，最终还是没有说出口，临行前，他又恢复了一贯的伪装乖宝宝的笑容，他说："要乖乖等我回来哦。"

之后就被一句"鬼才会等你回来"催上了飞机。

独自留在机场的小薇仰起头望着眼前的高天流云。她就这么定定地看着，渐渐地整个世界都开始不断地旋转抛离，只是她一人站在气流的中心，感觉不到一丝风。

她的耳边回响着那之后天逸告诉她的事情。

在很早很早以前，天逸和芭儿确实在一起过。

直到他发现自己的母亲，成为了芭儿父亲的出轨对象。天逸不希望母亲成为破坏别人幸福的凶手，所以，他以放弃钢琴，从家里搬出去为威胁，迫使他的妈妈单方面地提出分手。没想到芭儿的爸爸竟在参观日找到了学校，花了一整天时间在实验楼的楼顶上找到了他。看着那个西装被汗水浸湿，气喘吁吁的中年男人，他是真的想过要放弃了，但还是孩子气地刁难他要他在楼梯上做十组蛙跳。

没想到那个男人真的做了，完全不在意什么大人的面子或者尊严。

只是做到最后一组的时候，那个让他敬佩的男人没有站稳，后仰着朝楼梯倒了下去，他本可以拉住他的，可一个女孩子朝他们撞了过来。

他不知道她叫温婷，也不知道她得了抑郁症，他只听见她说："我想死。"

女孩子消失了，天逸也没有能来得及去补救。

那个男人并不是因为他而摔下了楼梯，突发的脑溢血也与他的意志无关。

但是天逸却一直认为自己是造成这个最终结果的凶手，他没有理由也没有立场向芭儿澄清什么。

"然而，对于我们来说最大的悲哀，并不是产生了这样的间隙。而是，因此完全走向了相反的方向，回过头的时候才发现已经变成了和过去的自己完全不同的人，只有感情被留在了原地。"

14

空气被蔚蓝色的风清洗得干净，在光线下变成了金色。

有什么渐渐融化在里面，浓得让人窒息。

小薇想，这就是悲伤吗？

女生独自坐在天台的管道上百无聊赖地看着天空。
听到身后的脚步声也没有回头，她知道那是她喜欢的人，她的男友。
男生在女生的身边坐下，像是想说什么，却迟迟没有出声。

"答应我一件事好吗？"静静地，小薇开了口。
"什么？"
"接下来，无论我说了什么，你都不要回答，只要听我说就好。"
男生默默地点了点头。
小薇笑了。
"说到对你的了解，我可能连芭儿的十分之一都及不上吧。用生命来爱的人，那天在学校，她是那样告诉我的，其实最初的我们去看的电影，也是为芭儿准备的吧。"
她转过头看身边的天逸，"追溯爱的旅程，我早该明白的。"

"就当是我违约吧。天逸，之后的十年二十年你应该陪伴的人并不是我。"
她用尽最后的力气展露出一丝微笑。
"所以，我们分手吧。"
其实我知道，这是你想说，却说不出口的，那么就让我来说吧。

无论是甜蜜还是委屈，还有那些多到无法细数时间、地点、原因的雀跃与不安，嘈杂喧嚣着的念头和借口，都在此刻，于胸口处聚拢。
世界瞬间变得很安静。
安静得只能听到心脏破碎的声音。

15
尽管你就在我身边，可是我们此时的距离是多么遥远。

● 初中生早恋了怎么办?

○ 聂天逸：恋爱不分年龄，不需要刻意地早恋，但是恋爱发生了，也不用去扼杀它。

○ 夏汐：我从小学就开始单恋了，这个问题别问我了……

○ 莫小薇：没有过经验。初中生还应该以学习为重吧，高中生也是啦。以不影响学习为底限，再考虑恋爱的事情吧。

○ 芭儿：只要成绩好什么都无所谓。

小提示：本章时态错乱，阅读时请注意……

01

想要变成特别的。

对某个人来说特别的存在。

六岁的时候去扯隔壁小女孩的辫子。

八岁的时候总是在同桌女生的书上画各种涂鸦。

十二岁的时候，和班上的男生打群架。

可是我并不知道，那个爱哭的、脸上有可爱雀斑的小女孩，那个总是穿着运动服追着要撕我书的短发女生，还有那个一直很温柔，但是每次知道我们打架都会勃然大怒的年轻女老师，是否依然记得那样的我。

其实，只是想要你注意到我、记得我。

因为即便你会讨厌我，我也希望变成对你来说"不一样"的存在。

02

"好大啊！"

"快翻快翻。"

"你们收敛点儿，还有女生在呢。"话虽如此，脑袋还是挤了过来。

聂天逸坐在通往集训地的巴士上，无力地看着一边座位上凑在一起用手机看着成人漫画的同伴们，感觉可不怎么好过。

虽然还有女生在，可是几乎已经到极限了——想要呕吐的感觉，一直从胃被抬升到喉咙里。

"哎，你，会晕车就要吃药啊。"

"嗯？"不自觉地就接过了眼前这个陌生男生递来的白色药片，应该是车上除了田径队外，另一批参加英语班的夏令营成员。不过，真是太多管闲事了——他的举动让周围的好多双眼睛都看向了天逸，这样之前努力地忍耐和掩饰就都将付之一炬了。

"给。"男生用手背抹了抹嘴唇，顺手把自己正在喝的矿泉水也递给了他。

"啊……谢谢。"虽然不怎么甘愿，但还是接了过去。

瓶子里的水随着巴士突如其来的剧烈颠簸溅出了小半瓶，两个男生同时回头望向车开的方向，已经可以看到他们此行的目的地了。

03

总算是顺利地到达了集训的目的地，至少没有在众人，尤其是女生们面前，呕出来。天逸放下笨重的旅行包，微笑地拒绝了同伴去打球的邀请，躺在床上开始写短信。

"水饺在冰箱里，碗橱右边的柜子里有方便面，不过尽量叫外卖吧，老吃这些没营养。电话单在客厅玻璃板下面，照顾好自己，有事打我手机。乖！"刚要发出去，想了想又补充了一句，"要是急的话就找外公。"屏幕"乒"的跳了下，出现了信息内容过长，自动进入第二条短消息的提示。

光标闪了几闪，天逸还是按了删除键。

算了，如果外公知道了的话，又该说他把苏玲玲给宠坏了。

合上手机盖，一转头就被身边的一张面孔吓了一跳。队里的身高之最——1 米 9 的丁明正站在他的床铺边上，即使是躺在上铺看，也是非常壮观的。

"天逸，去打人吗？"

"啊？"

在"打球"被换成了"打人"的情况下，看来不是能简单地说一句"不去了"就打发过去的。

虽然对打架没兴趣，还是硬被丁明拉到了篮球场，到达的时候情况和自己预估的差不多，起哄围观的人群远比投入战斗的多得多。

打架的起因是场地的使用权问题。英文班那边看似有一个相当厉害的人物，虽然正遭到几个跳高运动员的围攻，却还能分神帮助别的伙伴。而田径队打架王丁明的战意似乎也被那个家伙挑了起来，居然有了些跃跃欲试的表情。

清醒点儿，这可不是比赛。

丁明一下就投入了混乱的战局，没了人影。天逸想要上前看个清楚，却也被卷进了混乱的人群之中。挤近了才发现对面那个嘴角有些淤青的家伙看起来还竟有些面熟，正是车上那个"晕车药先生"。而现在，他正受到正前方丁明上钩拳的威胁。

真是有点儿不知死活啊，和田径队的"打架骨干"们来硬的。

"夏汐，当心！"一声提醒暴露了那个家伙的名字，丁明的突袭没有奏效，又一拳甩了过去落在夏汐的肚子上，把他打退出去好几步，靠在了周围的人墙上。

"喂，你们太奸诈了，这么多人打一个，有本事一对一。"夏汐不甘心地抬起头，挑衅般地对着田径队喊起话来。

"一对一！一对一！"周围看热闹的人群也本着唯恐天下不乱的心态，跟着起哄。

"想打的站出来，一对一！"这下连田径队的人群里也炸开了锅，有人犹豫有人跃跃欲试，人堆里相互推搡得很厉害。天逸好不容易才在人群里找到显然是很想出场的丁明，想要把他拉回来，虽然自己并没有兴趣多管闲事，不过也不能完全无视教练对他叮嘱了很多遍的——要看好丁明不要让他胡来。

"哎……"

在这样混乱的人堆里向前挤的时候显然是不能完全按照自己的心意，眼看就能拉到人群前面的丁明了，自己就被向前猛推了一把。

原本嘈杂的人群突然安静了下来，还没有站稳的天逸也感觉到了周围气氛的改变。

抬起头，面前的居然是伤痕累累的夏汐——好像连眼角都裂开了的样子，而他自己已经被推出了混乱的人群，站到了两堵人墙中间。

"不是吧？田径队没人了吗？"是从夏汐身后传来的声音。
"我……"本想要解释，却因为对方带有强烈挑衅意味的话，而生气了起来。

没错，他确实可能是田径队里看上去最纤弱的一个。不过外表这种东西也不是由他决定的。如果这样就看不起人，倒真想试试看到底谁会比较厉害一些。而刚刚安静了没多久的人群又开始渐渐沸腾起来，有剑拔弩张的味道。

"天逸上啊，怕他？""天逸把他打趴下。"最让天逸哭笑不得的是丁明也走过来，拍着他的肩膀说："天逸，没想到你比我还积极啊！好，兄弟就把这个机会让给你了。"

两边的助威不断地升级，这帮人还真是会瞎起哄，虽然这么想着，心里还是有什么也跟着自行燃烧了起来。

一触即发，就是形容这样的情形吧。

"喂，住手！"清亮的女声在人群中切开出一条不大的缝隙，所有的目光都落在那个瘦小的身影上。居然是小雅！

04
会参加这次夏令营集训是因为小雅。

认识那个在外人面前总是一副骄傲姿态的女生是在父亲公司的一次酒会上。
那年他也不过才小学六年级，并不喜欢这种大人们的游戏，只是一个人无聊地坐在阳台上吹风。
"很无聊吧，这里都是无聊的大人。"突然出现的身穿白色公主裙的女孩，一语道破了他心中的想法。

那个女孩子不算很美丽，但却有种特别的气质，像是一朵带刺的蔷薇花。她个子小小的，但看人的时候却总是一副居高临下的神情。他对她作了自我介绍，她也告诉他，她的名字叫"白尔雅"而她的朋友都叫她"芭儿"。

"他们老是芭儿芭儿地叫，几乎连我自己都要忘记自己还有一个叫白尔雅的名字了呢。"

"那我叫你小雅吧。这样我们就都不会忘了。"

小雅相当的聪明，比天逸见过的其他女孩子都聪明。她喜欢的东西也和一般的女孩子不一样——跑步、钢琴、天文台、岩井俊二的电影。小雅是一个相当好强的人，天逸从没有接触过这么有强势的女孩子，小小的身体里就像蕴藏着台风一样，有着可以席卷一切的力量。

而这次她竟然召集了一帮女生到篮球场，并且抬出了教练老师的名号，阻止了男生们的肉搏战。

"拜托，这么大年纪了，你们就不能换个文明的方式决胜负吗？"女生语气里的那种居高临下，给在场的男生留下了相当深刻的印象。虽然依旧有很多人不服气，但迫于压力，还是勉强地接受了女生的意见。把双方的"决斗"留待用其他"文明"的方式解决，只不过弥漫在两边的男生之中的那种对峙的气氛丝毫没有减弱。

以至于在之后的几天里，夏汐和聂天逸迅速蹿红为夏令营里的著名人士，几乎每天都有人在打招呼的时候附上一句"加油啊，可不能输给他们"之类的话。

田径队里也有很多人感到奇怪，一直安安静静的天逸，怎么会变成如此爱出风头的人物，就连教练也意味深长地丢给他一句："天逸，我一直觉得你是我们队里最成熟的……看来，你也还是个孩子啊。"让天逸倍感胸闷，实际上他自己也并不喜欢这样的状态。

都是"晕车药先生"害的！

小雅为什么对他诸多维护的样子！

好像真的暗暗较上劲了。

05

上了初中以后和小雅交换了手机号码。

白叔叔，也就是小雅的爸爸，常常会到他们家来玩。所以天逸和小雅见面的机会也多了起来。

两个人认识的一周年那天,他学高年级学长的样子捧着花束偷偷把小雅约了出来。

"做我的女朋友好吗？"
"忒俗气了，换点儿有新意的。"
"啊？"
"我是指你的告白。"

在小雅的百般刁难下，当时才初一甚至连爱情是什么都还摸不清楚的聂天逸几乎把自己能寻找到的经典告白句子都背了起来，还好小雅并没有坚持到第一百零一次告白，就答应了做他的女友。不然他很可能因为背诵某著名漫画中的"我想要幸福，想要得到幸福，想要你幸福，想要成为你的幸福……"而成为世界上第一个因为告白而舌头打结的人。

之后还是初中生的两个人就开始了游击战一样的约会。
一起去了动物园、游乐场，还有海边。
和美洲巨蟒合了影，在海盗船上大声尖叫，在海滩上踏出一排排足迹。

小雅带他去的海边很安静，据说是她和两个青梅竹马的好友一起发现的。
他们一个叫莫小薇一个叫夏汐，不过他从未见过。

小雅说："不能介绍给你，你会把他们抢走的。"
他不满地回应道："我的小雅公主，你就不担心我被抢走啊？"

原本还是相当地期待小雅朋友们的认可，可是后来他才渐渐知道小雅其实是很喜欢那个叫夏汐的人。
"但是，他应该和小薇在一起。你一看到他们两个你就明白了。"
这么说的小雅，一直致力于把他们两个凑成对的努力中。
而天逸则是偷偷在心里乐着，我家的小雅真可爱。

小雅说，她在书里看到恋人在一起会创造很多很多的回忆。无论是开心的，还是难过的，只要是在一起，便都是值得珍藏的。那是恋爱时才会有的独特心情。
所以她也常会问他，我们真的在恋爱吗？你爱我吗？

那时候他们也才十三四岁，不过也正是这十三四的年纪才能轻易地问出这样的问题。

但即使嘴里说着很爱很爱，那时的他们的确还不懂爱。

天逸常常会称呼小雅为公主，虽然她大部分时候看起来更像是一个女王。

但是她总会反驳说："你少讽刺我，你妈妈才是真正的公主呢。和她比，人人都只是草履虫。"

"公主大人"的确是对苏玲玲的最好概括。正如同他很少称呼她为"妈妈"或者"母亲"一样，十七岁就生下他的苏玲玲从外表上几乎看不出太多岁月的痕迹，依旧作为业内小有名气的模特持续活跃着。会造成这样的结果，也是从恋爱时期就被聂天逸的父亲当成宝贝捧在手心里，结婚以后更是小心呵护，不让她涉及任何家事重活的缘故。即使是天逸十二岁那年父亲为了保护母亲遭遇车祸去世以后，年幼的他也秉承了父亲的坚持，用外公的话来说现在的苏玲玲就是"被你们聂家人宠出来地"。

会去学钢琴也是因为当年公主大人看了电影《钢琴师》之后心血来潮地让人搬回了一台纯白色的钢琴，之后还时不时在家里念叨着："好想听听这架钢琴的声音啊""谁来弹弹嘛"之类的话。还不到一个星期，父亲就把他送进了钢琴学习班，算起来已经有六年的时间了。

而最近这一年白叔叔越来越频繁地出现在天逸家里。

小雅很崇拜自己的父亲，总说他是世界上最厉害的人，说他无所不知，简直就是小雅心中的神。然而在他和小雅认识一年半，交往半年的时候，小雅打来电话，带着哭腔对他说："爸爸和妈妈决定分开了。"

电话那头撕心裂肺的痛哭，让他手足无措，他不知道该说些什么来安慰小雅，只能在听筒旁沉默着。即使之后他再后悔当时的表现，也没了挽回的机会，因为之后他再也没有看到小雅哭过。

正因为他能理解小雅的心情，所以才什么也说不出。

因为他也失去了曾经拥有的完整的家。

他对夺走他们幸福的人深恶痛绝，无论是那次车祸的肇事者，还是夺走了小雅父亲的神秘第三者。

只是那时他完全没有想到，破坏了小雅幸福的竟是另一个他最亲近的人。

06

"文明的方式"不过就是所谓的"试胆大会"，之后才知道也是小雅策划的。

举行当晚，参加夏令营的男生女生几乎倾巢出动，为各自的代表鼓劲。而试胆大会的准备也早已经在白天都做好了，就等着选手们出场决一胜负。

规则相当简单——在寝室走出去不远有一块废弃墓地，穿过墓地，可以到达一个当地人堆砌建筑材料之类东西的老旧仓库，谁先找到白天比赛策划人藏在那里的一样东西带回来，谁就是胜利者。胜利的那一方，可以优先使用篮球场，只有在他们不用的时候失败的那方才有使用权。

可以说是中了夏汐的计，不得不开始追逐那个独自抢跑的家伙。七弯八绕之后，居然就找不到夏汐的影子了。"哐当"一声，听到前面有动静，才发现已经到了目的地——仓库。

"聂天逸，这次可是我赢了啊。"大门关闭的仓库里传来夏汐的声音，天逸打开门追了进去。"哐"的一声，因为他的用力过猛，门再次自行合上。门外似乎有什么东西重重落下，一片漆黑的仓库里就听见夏汐一声惨叫。

"别关门啊，完了……这门是从外面上锁的……"

在尝试了在里面敲门呼救大约半个多小时之后，夏汐精疲力竭地决定放弃。

"这下可好，只能等他们来找了。"

"那恐怕也是明天的事了，门禁时间快过了。"黑暗里有幽幽的光映着天逸的脸，是亮着的手机屏幕。

"哎呀，我都忘记了还有手机！"夏汐欣喜地打开手机，却发现，屏幕上的"中国移动"早就变成了"正在搜索网络"。

"白痴，要是能用，我早就打了。"

黑暗中的时间似乎过得特别漫长。两个男生分别躺在两堆垒起的水泥袋上，相互不看对方，其实也完全看不清楚。

夏汐尝试了数羊、数美女、数自己最喜欢的红烧狮子头，不过依旧是睡不着，肚子反倒越来越饿起来。

　　天逸也不禁感叹，和男人一起关在小仓库里，真是一件既不浪漫也不危险的事情啊。

　　"好饿。"夏汐忍不住发了牢骚，"要闷死了。"

　　"……"

　　"……那边好像有个窗户。试试看能不能打开吧。"

　　"……"

　　虽然一直受到天逸的无视，夏汐还是自己把水泥袋拖到了脚下，开始尝试去打开墙上那个不大的窗口。黑暗里只能用手机的屏幕光照明，每次光都会自己暗下来，然后再被夏汐打开。

　　反复多次以后，窗框依旧纹丝不动，突然一道光打了过来，清楚地照在窗户上，夏汐回过头，是天逸的手机灯。

　　"哎！多谢啦。"夏汐转过头去继续想要打开窗户，但又转了回来看着天逸"是不是吵醒你了？"

　　"白痴。"只是单纯地看不过去了。

　　好不容易合两人之力拉开了已经被铁锈卡住的小窗，新鲜的空气进来的瞬间，确实让人畅快了许多。用尽力气的两人喘着气并排躺在水泥袋上，他们躺下的角度，刚好可以看到小窗外的星空。闪烁的星尘和深蓝的夜幕好像会把人从那扇并不大的窗口给吸进去，置身浩瀚宇宙之中，心情异常的宁静。

　　"喂，你是不是喜欢芭儿啊？"

　　天逸点点头，显然夏汐还不知道他们的关系。

　　"她很好强的，虽然家里出了事，可是表面总还是强装着。"

　　"我知道。"这也是小雅最让他心疼的地方。

　　"反正她就是那种就算不幸福也不愿意让别人说她不幸福的人，千万不要对她说什么同情她的话。"

　　"……你这在担心我们？"

　　"废话，毕竟八九年的朋友。这么多年来都没有男人敢追她，好不容易有个你，当然要把握住啊！"

话题就这样一直持续了下去，皎洁的月光下，两个少年似乎完全忘记了彼此还可以称为"敌对"的身份。靠近天亮的时候，夏汐突然想起他们会被关在这个黑漆漆的仓库里的主因。

"对了，他们要我们找的是什么？"

"是哦，找找看？"

当在仓库的一角搜索到一本名为《禁断的甜美果实》十八禁耽美漫画之后，夏汐和天逸很快对应该把活动策划者暴打一顿达成了共识。

可是当得知了活动策划者是小雅之后，两个人又同时打消了这个念头。

而夏汐在了解两个人早已经确定了关系以后，更是一下子对天逸崇拜得五体投地。

"哇，这样的女人你也敢要……佩服佩服。"

当然之后少不了被小雅谋害的命运。

07

尽管所谓"决斗"的结果让夏令营的两组人马都大跌眼镜，但依然没有改变聂天逸和夏汐从敌对组织的代表摇身一变成了著名"美少年双人组"这一事实，忘记补充一个前缀，是"还没有长开的美少年双人组"。

总之是孽缘——这是夏汐的原话。

篮球场在两个人的协调和小雅的威胁下，变成了轮流使用。不过其实混熟了以后，也常常有两方混战的情况发生，让小雅羡慕地称赞男生之间似乎没有什么隔夜仇的说法。

就比如今天，天逸就加入了人数不够的英文班队伍，和自己人大打了一场。比赛结束，朝着洗手池走去的他远远地就看见了站在那的夏汐。他正把头凑到水龙头边，让源源不断的水流溅在自己的脸颊上和嘴巴里。

"接着。"手里的运动饮料丢过去一瓶，夏汐一接到手就毫不客气地拧开瓶盖，大口地畅饮起来。

"笨蛋，刚刚干吗要帮我。我们四个打五个也可以。"

"可以个头……就当我感谢你上次帮我，在车上。"

"啥？"某人早就忘记了晕车药的事，一脸不解。

"忘了就算了，不过这次你应该不会忘吧，我们可是有过间接接吻的关系了。"天逸一脸正经地晃了晃手中的水瓶，害得夏汐一口水喷了出来。下意识地跳开一步，却发现对方正戏谑地打量着自己的反应。

"要习惯你的玩笑还真是难。从某种角度来说，你和芭儿……小雅还真是绝配。小雅这个名字还真叫不惯。"

"当然，这个名字只要我一个人叫得惯就够了。"

08

和夏汐告别，散心到离寝室有一段距离的郊外水塘时，看到小雅一个人蹲在池边。微微蜷缩着后背，似乎可以想象她是如何用自己覆盖全身的尖锐的刺，抵抗着一切敢于侵犯她领域的外敌的。

"在做什么呢？"

"抓青蛙。"女生正背对着天逸蹲在水塘的边上，脚边放着一个大罐子，不紧不慢地回答。

"我都不知道你喜欢青蛙。"

"不喜欢。"女生举了举手里的树枝，显然，青蛙面临的可不是什么人文关怀。

"那你是讨厌它们？"

"我说天逸，人的感情是那么简单的吗？除了喜欢就是讨厌？亏你平时脑子还挺灵光的。"

习惯了女生刻薄，天逸也不反驳，带着笑意的眼睛里更多的是宠溺。

"喂，"对面突然又有了回应，声音闷闷的，"天逸……"

"怎么了？"

"……我肚子疼死了，来拉我起来。"

"哎？哪里疼，我看看……"

"有什么好看的，大姨妈来了没见过？"

"是你的大姨妈还是我的大姨妈？"

"噗……"女生笑了出来。

09

"喂，帮我把那些青蛙都放回去好吗……"

天逸还记得当时小雅的头服帖地靠在他的背上，请求他帮忙。那是他第一次看到那样的小雅，和平时那个好像有普通人几倍气势的她完全不同。

"今天我又和爸爸吵架了，我叫他再也不要来打扰我们。其实我不想这么说的，其实我想告诉他，他还是我最喜欢的爸爸……为什么他非要和妈妈分开呢。"

背着女生回寝室的路上，背后传来断断续续的呢喃。女生的额角疼出了细密的汗水，有几滴顺着脸颊滑落在男生的脖颈。

滚烫的，却又好像有种让人心悸的力量。

女生啊，真是一种矛盾的动物呢。

他总是猜不透她们的想法，无论是小雅的还是苏玲玲的。

10

我常常做一个梦。

梦见自己陷在无底的泥沼之中，越挣扎，则陷得越深。

你和他们都曾结伴经过，我大声呼救，却没有人听见。

没有人看我，没有人注意到我。

直到青褐色的泥沼渐渐将我吞没，在烈日下干涸成一片荒芜。

被自己在地下无助的哭泣惊醒。

脸颊边是潮湿的枕巾。

然后就想要打电话给你。

满世界地寻找你。

11

发现白叔叔的外遇对象是自己的母亲，是在一个很偶然的情况下。

某天小雅跑来对他说，她爸爸离婚的原因是因为在外面有了别的女人。

小雅为了抓到那个女人是谁，拖他一起去买望远镜。就在小雅围着柜台看个不停的时候，他透过橱窗的玻璃看到一对男女亲密地相互挽着走了过去。正是他熟悉得不能再熟悉的苏玲玲和白叔叔。

那个瞬间，他仿佛听到自己心里有什么开始崩塌，他不断地试着说服自己，然而对小雅的愧疚，还是在这样的影像刺激下不断放大。

天逸试着跟踪了自己的母亲，然后终于确定了她正是那个破坏小雅家庭的元凶。

他思前想后，决定用自己来逼迫苏玲玲，逼迫她和那个男人分手。

于是放弃了钢琴，在暑假搬出了那个家，只是用手机维持着联系。他认为这是他唯一可以为死去的父亲，为他所喜欢的女孩做的。

然而，是他低估了爱情的魔力，小雅的父亲是真的爱上了他那个不食人间烟火的妈妈。

12

那天是暑假学校开放参观日。

白叔叔打着参观小雅将来新学校的幌子，花了整整一天的时间，终于在傍晚的时候在实验楼天台上找到了他。

那位一直对他很亲切的白叔叔，气喘吁吁地赶到他的面前。汗水浸透了他的全身，甚至是最外面的西装，整个人都像是从水里捞出来的一样。

狼狈地没有了平日里的威严。

他说，天逸，回家吧。

天逸没有想到这个人竟然为了他的妈妈如此地哀求自己。

"天逸，回家吧。玲玲真的很担心你。我理解你不能接受我，但是你不该伤害你的家人，你的妈妈。我是真的想给她幸福。我希望你能接受我，我们会成为一家人，要是你暂时不能接受我，我也可以等。你不想看见我们，我也可以带你妈妈出国去。"

"要走你自己走，别拖上我妈！"

听到那个男人的承诺，居然有些心软了。可是小雅又怎么办？天逸心烦意乱地拂掉了被男人拉住的手臂，却在看到那个年近五十岁的男人露出了有些受伤的表情的时候，说出了那句玩笑话。

"有本事你就在这里蛙跳十个来回，我就再也不干涉你们的关系了。"

真是一场无聊的赌博。
他是赢家也是最大的输家。

见到那个身材已经发福的男人义无反顾地开始在长长的台阶上笨拙地重复那个动作，天逸才开始意识到自己在他眼里也只是一个得不到满足所以撒娇闹脾气的孩子。

是想要说你不要做下去了，但却被成年人的坚韧所震慑住了。只能别过头，刻意地不去看他。

在心里数着来回的次数，煎熬般地等待着从一慢慢累积到十。

到了第十个来回，他抬头去看那个蹲在台阶最高处的男人。他看到他似乎是用尽了全力一样慢慢地起身，背影在夕阳下越发高大。这就是爱情吗？他是不是终有一天也能体会到。

然而只是转瞬之间，那个高大的躯体，突然失去了平衡似的一晃。一连向后退了好几步。天逸忙跑过去拉他，白叔叔伸出手的同时，露出了欣慰地笑容。可刚刚站定，又一个人影撞了过来，天逸再来不及做什么，就看到那人后脚踏空，一下从楼梯上滚了下去。

头部落地。

13

在把白叔叔送往医院的路上，他一直在想，想着总有一天他们会成长、会释怀。可以学会放下这些。可是灾难总是来得迅速又突然。

"是我自己失足摔下去的。"事后在医院里完全清醒过来的白叔叔还是在为他掩饰。
可是这样拙劣的谎言却瞒不住那个聪明的小雅。

或者只能将一切解释为命运，如果白叔叔之后没有再昏迷过去，没有因为脑溢血毫无预兆地发作而那么突然的撒手人寰，他和小雅之间或许还是会有转机的。

"就当我从来没有认识过你。"女生眼里的怨恨真切得像一把火焰。直到那个时候，他才知道，无论他再做什么，即使是背完这个世界上所有的告白方式，即使是租下世界上所有的动物园、游乐场，他和小雅都回不到过去的那个样子了。

活着的人是永远赢不了死去的人的。

14

世界依旧在按照原本的步调运转着，每个人都回归到了自己原先的位置。

胸腔里那些空虚的情绪恣意滋长着，却永远也填补不了那片空缺。只是什么都无所谓了，除了对活着的人赎罪。

聂天逸搬回了家，虽然苏玲玲表面上还是一副"公主大人"的架势，到了夜晚的时候，他却能听到客厅里低低的啜泣。

是他毁了所有人的幸福。

买了给小雅的电影票，是她一直都想看的一部电影，特意选择了藏在小洋房里的影院，是她说过喜欢这样更有私密性的环境，或许现在再看这部电影只是对两个人的一种讽刺。

直到天逸又遇见了另一个女孩，那个曾在夏汐的手机里见过，被他炫耀说是喜欢了十年的女孩。那个曾听小雅无数次提起的女孩。

从一开始就知道，她说话的时候常常会发呆。

很胆小却又极爱逞强。

对自己的事很迟钝，但却总能体察到别人的心情。

眼睛很漂亮，却总是要做出各种古怪表情。

虽然第一次见面，却好像已经认识了好久好久。

天逸最初并没有喜欢上这个女孩，只是觉得是个早就熟悉了的人，觉得她的反应很有趣，觉得可以从这样的无忧无虑的她的身上获得一些慰藉。

她用好奇宝宝的眼神望着他，他知道她对自己有兴趣。

对于她说的喜欢他却下意识地想要逃避。

　　小雅指责他，说他不该接近她的朋友。天逸无话可说，他同意了小雅伪装成情侣的要求，一而再再而三地想把那个女孩推得离自己远些。

　　可那个叫做小薇的女孩却像是看穿了他的伪装，毫无防备地走进了他的世界。

　　好几次陷落在那个温暖的怀抱，那种令人怀念的渗入了皮肤的温暖，带着美好的光泽，将他包裹，唤醒了心房里原本安静沉睡的种子。

　　小雅让他做的事，他都去做了。即使天逸再怎么不愿承认，可他还是渐渐地感到了那令人战栗的变化。

　　父亲的去世好像唤醒了小雅的身体里的某些东西，那些东西正肆意地侵蚀着原本的她。

　　尽管外表没有改变，可很多时候，她看上去就像是另外一个人。

　　一个他完全陌生的人。

　　天逸觉得，这次自己是真的应该放手了。

　　他们已经走上了完全相反的道路，他把内心的炙热藏在漫不经心的表象后，而小雅则把所有的疯狂隐在虚伪的面具下。

　　他想阻止，却无法阻止小雅。

　　那所谓的感情早已被渐行渐远的两人扯得七零八落，只剩下被镀成了金色的回忆，还留在原先的地方。

　　可他们再也回不去了。

　　充满天逸内心的是歉疚，也只剩下了歉疚。

　　但即使如此，也还是会有别的可能吧，天逸常常会这么想。

　　并不是想要挽回什么，他也知道横亘在两人之间的距离再也无法逾越。

　　但也还是可以有彼此相视一笑，然后对过去释怀的一天吧。

　　因为有那个女孩在。

　　虽然她并不知道她正一点儿一点儿地把小雅从深陷的泥沼里拉出来，也不知道她正一天一天地把他从过去的束缚里解放出来。

　　因为她在，他想要再试着努力一次。

15

所以，留在我身边好吗？

那些剩下的时间，无论是多少年都只给我一个人好吗？

少年望着眼前的女孩，安静地等待着他想要的答案。

在很多很多年以后，他告诉女孩，他所等待的每一秒，都像是时间静止了那样漫长，只有滚烫的心脏是真实的，不断跳动着，几乎要把他的世界整个都燃烧了起来。

MASQUERADE
假面舞会

 **序曲**

序曲（Overture），乐曲体裁之一。原指歌剧、清唱剧等作品的开场音乐。

01

其实时间在那之前都是平静地流动，四季都有各自的颜色，风也有自己吹拂的规则。然而，在遇到你以后，时间开始悄悄地变慢，然后逐渐静止。我站在时间的轴线上，回头看过去的自己。

其实，我们从来没有离开过，一直在那里。

我听到风里你叫我的名字，由远及近，你说："我后悔了，我们不要分开好不好？"

我拼命地点头。

从四面八方疯长出的草蔓，变成了世界唯一的色彩。

即便多少次流着眼泪醒来，梦境也只是梦境。

02

五色琉璃瓦砖铺设的广场上围满了看热闹的人群，两旁的道路也给挤了个水泄不通。而人群中央一双少年男女正面对面立着，身旁飘扬着红色旌旗。这江湖上从来没有这么热闹轰动过，从议论中可以听出，居然是最大的两个门派中的绝顶高手在此决斗。

身穿白衣的少年公子"刷"地抽出身畔的宝剑，指向对面的妙龄少女。

"请。"

话音刚落，他就向对手冲了过来。剑锋划破空气，沿着出剑的轨迹在空中留下金色的光芒，围观的人群不禁倒吸一口冷气。却没有想到，那锋芒刚要触到那少女衣襟的一刹那，对面的少女嫣然一笑，朱唇轻启吐出几个字：

"阿姨来了。"

语毕她的身影便化作一缕青烟，自广场上消失，只剩下头上挂下三条黑线的围观人群和少年愣愣地站在原地。

送走仍在唠唠叨叨个没完的查房阿姨，看着再次被"强制关机"的电脑，莫小薇深吸了一口气，揉了揉酸涩的眼睛，站起身打算上床休息。网络游戏还真容易让人忘记时间，备了个 UPS 不间断电源想偷玩儿会儿，却不巧地碰上了阿姨的抽查。

小薇正要往床上倒，上铺的媛媛突然大吼一声"包子！粽子！牛肉饼！"一个翻身又睡了过去。虽然住在一起已经三年了，小薇还是被她的梦话吓了一跳，心有余悸地在原地伫立了一会儿，才忍不住笑出来，这个丫头，睡着了还不安稳，满脑子都是吃。

她疲惫地横倒在床上，望着头顶的床铺，看到上面的床位被媛媛压得稍稍凹陷了下来，又笑了，也不知道她身上的肉都是怎么藏的，明明体重比她和大姐都重，却是她们中看上去最苗条的一个。

就这样望着上铺胡思乱想着，眼前的画面突然与记忆里某一幕重合在了一起。闭上眼睛，那年夏天少年的影子晃过大脑的最深处，白色的衬衫上，光芒不断扩大，眼睑下隐隐有些发烫。

算了，睡吧。

女生默默叹息。

漫长的黑夜像是一条狭窄而幽深的隧道。

而过去的记忆如同萤火，诱导着她一点儿一点儿地爬行。

03

　　小薇所在的Ｓ城里，Ｓ大学的排名不算靠前，学校也不算大，可是一直在历届考生心中有自己特殊的地位。其中最主要的原因就是Ｓ大出美女。虽然不知道这样的说法是从何而来，但是自从有了这样的说法，Ｓ大美女的质量和数量倒真的是年复一年不断提高起来，其增长率大大高于学校的全国排名和扩招人数的提增速度。

　　也就造成了许多高分女生挤破了头想进Ｓ大的奇异现象。

　　用小薇她们的话来说，就算是母猪，进了Ｓ大也可以镀上一层金成为"圈花"的。

　　在这个基础上，Ｓ大从来不用担心男生的生源。

　　而Ｓ大里最有名的就是小薇所在的心理学系。

　　倒不是因为心理学系出的美女最多，而是心理学系的女生总是最特别。换个在群众中比较普及的说法，心理学系无论师生，只要是女性大都有蛊惑人心的才能，而且这个"谣言"的影响力严重到其他系的学生只要看到心理学系的女生都会心怀敬畏。

　　只有莫小薇她们自己知道，她们的可怕之处也只不过是一打开衣柜衣服就如洪水猛兽般倾泻出来，或者在寝室里穿着上下不成套的三点式盘着头走来走去罢了。

　　"喂，媛媛，听说计算机系的那个又来约你了。"

　　包括莫小薇在内的三个女生此时正坐在食堂里聊天，享受着空调逃避着社会学老头的喋喋不休。

　　"没有啦，大姐。"陆媛媛边说，边往嘴巴里送薯片，"是他兄弟看上小薇了，向我打听消息来着。"

　　"哎，怎么扯到我身上来了？大姐，你可别上了媛媛的当。"小薇笑着向两个姐妹摆了摆手，想把话题绕回去。不过两个姐妹可没那么容易放过她。

　　"哎哟，还是你厉害，一句话不说也可以招惹到别人，介绍介绍心得呀。"

　　"媛媛啊，你最近又皮痒了吧？老娘今天不掐死你……"小薇刚气势嚣张地把爪子伸向媛媛，就听到食堂门口有些吵吵嚷嚷的。原来一节课已经下课了，不少学生又陆续地走了进来。

　　考虑到她们三人组的知名度，小薇还是决定以形象为重。只一秒还不到她就从张牙舞爪的泼妇变成了安安静静地坐在座位上的淑女。

　　而她没有发现，她所做的一切都被一双灼灼的目光收在眼里。看到小薇装模作样地低头掩嘴轻笑，那目光主人的嘴角不禁也上提了一些。

"修亚，笑什么呢？"周谨不明所以地问身边似乎有些在发呆的伊修亚，轮廓深邃却带着慵懒气息的脸上正带着一丝不易察觉的笑容。

"啊，没什么，看到一点儿有趣的事罢了。"

"什么有趣的事啊……"目光在食堂里绕了一圈，周谨很快就发现了让自己感兴趣的目标，"哎哎哎，心理学系的三大魔女耶！"

"是魔女？不是美女？"

"入学都一个多月了，你至少要了解本校最有名的'土特产'吧。"

修亚做了个无所谓的手势，不过那位沉浸在自己世界里的仁兄依旧在自顾自地介绍着："喏，郑媛媛，外表萝莉吧，身材那叫辣啊！钟爱熟男和社会人士，凯迪拉克、宝马、宾利一辆接一辆开到校门口，绝对壮观。"叹了口气，手指一转，"邱思倩，古典美女，模特身材，不过是空手道社团的社长，要做她男友就一定要够强，据说隔壁医院跌打外科今年的指标都指望她了……"再次长叹之后，手指终于指到了修亚刚刚看到的那个女生，"莫小薇，大概是三个人里……最普通或者说是最正常的一个，但是她可是拿过 S 大公主的人物……"

"S 大公主？"看修亚一副"什么是 S 大公主"的表情，周谨只能无奈地感叹"孺子不可教也"。

"学生会办的圣诞 party 上每年都会颁的 S 大公主奖，别告诉我你没听说过。"

果然修亚再次老实地点了点头，同伴只能翻了个白眼儿继续往下说："说简单点儿就是校花啦，我觉得她那年当选公主的主要原因就在于我们学校美女几乎都已经名花有主了，她也算是 S 大里挺漂亮的女生了，却一直都没有男友。现在男生间都在赌谁能在毕业前赢得公主的芳心呢。"

"一直没有男友吗？"

修亚的目光再次转了过去，可还没来得及多看几眼，就因为食堂大娘吼出的一声"本日咖喱猪肉饼特价优惠"给周谨拖去抢购了。

而就在他离开的时候，那个刚刚被他目光扫过的女生，此时却仿佛感知到了什么朝他的方向看来，怔怔地望着男生渐渐淹没在人群中的背影，脸上突然有了惊异的神情。

04

今天原本就没什么课，莫小薇索性把下午的课全部翘光，打电话约夏汐去学校附近新开张的餐厅吃饭。到达的时候早了些，夏汐还没有下课，小薇便一个人无聊地坐在餐厅里喝茶。

夏汐与小薇是青梅竹马的死党。四年前，因为小薇父亲工作的调动，从他们原本的城市转学到了S城，还记得当初夏汐气急败坏地宣称等到考大学一定要杀到她那里去。

一年后，他倒是真的实现了当时的诺言，只是和小薇不同校。

正坐在台子上回想着夏汐刚到S城迷路的糗事，脸颊上突然被人轻捏了一下。小薇一点儿都不恼，不紧不慢地转过头去。染成金棕色的短发，琥珀色的双眸，休闲款式的连帽衫上是亮片的骷髅图案，肇事的少年顽皮地对她吐了吐舌头，不是夏汐又是谁？那杀伤力巨大的笑容让对面远远经过的女服务生都不小心把水泼到了另外一边客人的台子上，看得小薇直感叹。

蓝颜祸水啊！

当年那个总爱耍白痴的小男生，现在居然也已经长成如此英挺俊秀的少年了。

只是那双眼睛还一如当初，澄净得没有一丝阴霾，仿佛雨后的青色天空。从最开始认识，他就一直开朗得让人羡慕。

"发生了什么事这么高兴？"见夏汐到来了之后一直笑眯眯的，应该是发生了什么有趣的事了。

"还不是你啊，造就了新的江湖第一高手。整个服务器都传遍了，昨天我们服的上线人数可超过一千了，都是冲着你和阿修罗那个'第一高手'决斗去的。你可好，一句'阿姨来了'把大家都给晾那儿了。现在论坛上最热的帖子就是'阿姨才是江湖最强'。"

"我有什么办法？天大地大寝室楼里阿姨最大嘛。"小薇一脸无奈。

"江湖"是小薇和夏汐一起在玩儿的网络游戏，当初夏汐硬拖她去玩儿，也是不想再看她一味消沉下去。没想到倒真的有些效果，不过也直接导致了小薇开始沉迷于网络的虚拟世界，三年的"奋斗"下来，不仅成为了江湖第一大工会忘忧谷的会长，也是服务器级别最高的绝顶高手之一。当然，这些也离不开"贤内助"夏汐的帮忙。

小薇当初报考心理学系，一定程度上也是希望能学会自己开导自己，不过现在几乎都给游戏荒废掉了。但有了这一切再加上一直陪在身边的夏汐，如今的她才能渐渐摆脱了四年前的影子，没有负担地笑出来。

经历了四年前的事故以及之后发生的一系列事情，夏汐对小薇来说，比起朋友更像是无可替代的亲人。小薇知道这个男生从很久以前就一直喜欢她并且守护着她，只是自四年前和天逸分开开始，她的心情就仿佛停留在了高中时代，无法从当时的角色中跳脱出来。

正在看菜单，对面桌被泼了一身水的男生起身离开。白衬衫从小薇眼角边闪过，让小薇突然想起今天下午在食堂的事。犹豫了再三还是用尽量轻松的语气和夏汐提了起来。

"我……今天在学校食堂……"

"嗯？怎么了？"夏汐抬起头，不明白小薇想说什么。

"看到一个人，好像天逸。"

夏汐的眼神一沉，睫毛低垂着，看不出表情。

她还是不能忘记他啊。

叹息从少年心里看似宁静的青色湖泊上掠过，翻滚出带有泥沼气息的深黑气泡。然而只是一瞬，夏汐再次抬起头的时候，眼里那些奇异色彩已经变回了一泓静水，在她的面前，他永远都是一直在她身边微笑着守护她的人。

"看错了吧，兴许是一个有点儿相似的人吧。"

言毕，他又低下头来看菜单，毕竟他已经等了十四年，那么再多等一会儿也无妨，幸好他还有的是时间。

而那个衣服上有一大块水渍，推门出去的少年，正是小薇在食堂里瞥到一眼的伊修亚。

05

伊修亚离开餐厅，感叹着今天的霉运。饭还没吃上就被泼了一身水。本来急着想要回家换衣服，但是路过百货商店的时候想到家里那位之前要他带的东西，犹豫了一下还是拐了进去。

在众多服装品牌里好不容易找到了那人指定的牌子，一进去，琳琅满目的商品直晃眼睛。对于他这种逛街经验接近于零的人来说，要找到目标物品实在有点儿难度。

深感眼珠子都要掉出来的时候终于发现了那只蕾丝小挎包。如释重负地拿去结账，前面排队的还有两个正聊着天的女生。其中一个转过头来的时候目光随意地飘过了他，居然一下子就愣住了。

看着对方也是一副眼珠快要掉出来的架势，修亚也不知道是自己太有魅力了，还是太过吓人了。

"天逸，你是聂天逸？！"

"啊……聂天逸是谁？"

06

小薇回到寝室以后，大姐说有个叫芭儿的女生来过电话找她。小薇"噌"一下冲到电话旁边，但是想了想还是放下了拨号的手。

芭儿已经很少打电话给她了。从最初的每天一个，到她转学之后的断断续续，再到现在的一年都没有几个。而她自己呢……都已经这么多年了，却连拨出一个电话的勇气都没有，不知道说什么也什么都不敢问。

原本形影不离地相处了十年以上的死党，居然已经四年都没有见过面了。芭儿还留在她们原本的城市，而她则从那里逃了出来。

一切都是因为那个让她们两个都无法释怀的男生。

"丁零零……"没有预兆的电话铃声再次响起，小薇接起电话，听到那边"喂"了一声。

"芭儿吗？"

"嗯，是我。"声音很平淡，分辨不出什么情绪，灌进耳里凉凉的，像是有意无意在提醒着小薇那条横在两人之间无法弥补的沟壑。"丁明今天打电话给我说，在你们那儿的商场遇到一个男生，听说还是你们学校的呢，姓伊，样子和天逸非常的像……"

小薇整个人一震，在食堂看到的真是他？

07

莫小薇很相信缘分。

这并不奇怪，比起艰深的科学理论，大部分人都更愿意把目光放在这种虽然听上去虚无缥缈，却可以暧昧地解释很多巧合的东西上，比如女孩子总爱研究的占卜、星座。

然而，一位让莫小薇最为欣赏的美女教授曾经在她的课上讲过，人们所一直相信的那些缘分，从某种程度上来说，也只是人对自己的一种心理暗示。这种暗示是人的一种本能，一种无意识的自我保护能力，一种宣泄情绪的借口。

想用我和他很有缘来说服自己的情感。其实"有缘"本身就太过感性，不能作为评判标准。

就比如一个女孩喜欢上一个男孩，即使相隔了几十公里，她也会觉得两个人住得很近；他也爱喝咖啡，即使不是同一个牌子，她也会觉得他们的爱好惊人的相似。但是可能还有另一个人，就住在那个女孩的楼下，和她一样喜欢养虎皮斑纹的小猫，每天早上都和她坐同一辆车上班，但是因为女孩从不在意他，所以那些共同点也变成了过目即忘的东西。

"那和他分开了许多年，完全没有音讯，突然在某一天在身边发现他，算不算有缘？"

教授笑了笑，"你是想说服我呢，还是你自己？"

其实缘分原本就是个古怪的东西，就像之前她与伊修亚在食堂和餐厅里相遇，但视线却彼此错过一样。之后的几天里尽管她一直在找，却难以再在 S 大数以千计的学生里找到那个让她怀念的身影了。媛媛建议她在学校论坛里发个帖子，小薇犹豫了再三，还是没有这么做。

毕竟只是一个"像"他的人，并不是他。就像大姐说的，一旦涉及过去的那个人，自己总是很容易就乱了方寸。

自得到那个消息起心就全乱了，整个人像是被一种狂热的情绪蛊惑着，被尘封的过去也仿佛复苏了过来，搅浑了她原本平静的生活。

"莫小薇，学生心理辅导室就交给你负责了啊。"

毫无头绪的找寻持续了近一个月，小薇总觉得整个人都瘫软了下来，但却又不肯轻易死心。已经够累了，老师还要来火上浇油。

"张老师，前几届的不都是两三个人共同负责的吗？只有我一个，我怕我做不好。"

"之所以会交给你单独负责，也是因为这次实习志愿填报，只有你一个人报了学生心理辅导室。别担心，这点儿事难不倒你的。"

张老师轻描淡写地就把小薇给打发了。为了学分，小薇只能老老实实地把自己的宝贵青春消耗在学生心理辅导室里。起初倒还是个轻松的工作，几乎都没有什么学生真的来寻求辅导。少数过来的几个女生，基本也以遭遇了情感挫折，寻求倾听对象为主。小薇也乐得在办公室里上上网，打打游戏。

也不知道是谁，把小薇在 A 楼 305 室进行心理辅导的消息贴在了学校论坛上，还附上了小薇的靓照一张，来"寻求辅导"的人就逐日猛增了起来，在几番转帖之后，不仅本校的，甚至外校的学生也都混了进来。

连学生心理辅导室的名字也在口口相传中被人以"美女辅导室"取代了，面对开始用各式各样的问题轰炸自己的"病人们"，小薇也有了自己的位置已经顺利地从心理医生转变为被审讯的犯人的觉悟。

"老娘是心理辅导员啊！为什么每天还要考虑穿什么衣服！化什么妆！还要被他们问'你喜欢什么类型的男生'这种无聊的问题！我要疯了……"小薇在床上摆了个扭曲的"大"字——没办法，床不够大。

"谁叫你要形象要面子啊？你大可以把自己搞得人不人鬼不鬼的嘛！"上铺是媛媛的声音，"来，姐给你画个贞子妆。"

"哈哈，小薇子你别听肥姐的，女人啊就是要每天把自己弄得漂漂亮亮的。最近军训的新生都回来了，你那个美女辅导室又要热闹了……你可不要伤了小帅哥的心哦。"

"啊……大姐你太不公平了，让小薇子去泡男人，就说我是肥姐，伤心了。"

"媛媛，你是应该减肥了哦。"

"你们懂什么？男人就是喜欢我这种有肉感的……骚货。"媛媛说罢，还扭了扭胯，一副风情万种的样子惹笑了一寝室的女生。

不知道是不是应了大姐的那句话，没过几天帅哥真的出现了。

视野里少年出现的那一瞬，仿佛听到时间重新开始流动的声音。

08

伊修亚和周谨一起来到辅导室的时候，小薇正在开解一个失恋的女生。

"恋爱其实只是人生旅途中的一道风景、一次体验，并不是生活的全部。其实只要你多和朋友家人在一起，你就会发觉，这个世界上爱你的人那么多，人生除了恋爱还有很多乐趣啊。而且你这么可爱的女孩子，错过你绝对绝对是他的损失，不必为了这种男生感到难过。他只不过是让你遇到 Mr. Right 的一块垫脚石罢了！踩着他，你才会找到更好的！"

小薇刚开始还摆出一副专业架势，之后却越说越离谱。尽管这些道理她都懂，但四年了，她也没能说服得了自己。到了最后，她倒像是个为了朋友的遭遇义愤填膺的声讨起那个男生，引来了门口的笑声。

送走那个眼眶还红红的学妹，小薇刚刚伸个懒腰。扫了扫门口是否还有要咨询的学生，目光落在看着她微笑的男生身上，一下子就无法移开了。

她猛地从位置上站起来，突然间只觉得全身的血液开始逆流，眼前的棱角和线条与记忆里熟悉的脸庞重合在一起，真实得不可思议。却又仿佛随时会在双眼开合之间，消失在视线里，在眼角和眉梢带着些许陌生。

她叫出那个深藏在心里的名字："天逸！？"
声音有些颤抖。

男生的表情顿时变得有些奇怪，他有些无可奈何地叹了口气，"我真的有那么像那个叫聂天逸的吗？"

"我又没说他的姓氏，你怎么知道他叫聂天逸？"听到男生的问题迟疑了一下，但她并没有那么快放弃。

"因为也有其他人认错过。"

"是谁？"

"在商场遇见的，叫……"像是因为时间太久，一时记不起了，修亚想了一会儿报出一个名字，是小薇高中班上的同学丁明，和芭儿电话里说的正好相吻合。

小薇的身体开始一点儿一点儿变得僵硬起来，那些涌入大脑的血液像是瞬间被抽空了。

冰冷的感觉像潮水般不断向她涌来，漫过了心脏，漫过了头顶，淹没了刚刚燃起的希望之火，只剩下不断敲打着胸臆的疼痛。

09

依旧会做那个梦。

穿着白色校服裙的女孩子的身体坠入没有尽头的黑暗里。

空洞的眼睛直直地盯着自己。

她在笑，笑得绝望却又那么释然。

突然那张脸变了一变，变成脑海里最深刻的笑脸，掐着自己的脖子，说："把天逸还给我。"

10

再次因为梦魇而惊醒，莫小薇一摸额头，竟已经有了细密的汗珠。已经很久没有做那个梦了。这次会梦到，恐怕还是因为那个人吧。

伊修亚。

眼眶里似乎还浮动着少年的面孔，却因为那面孔，渐渐模糊了他的名字。

是聂天逸还是伊修亚？

小薇从床上翻身下来，媛媛和大姐还都在熟睡之中。轻手轻脚地快速给自己泡了一杯咖啡，窗外天还没有亮。

和聂天逸分开，已经整整四年了。

四年是简单的两个字，也是 1460 天，35040 个小时，2102400 分，12604400 秒。

长得足够将所有的热情都渐渐冷却，冰冻……然而却不能令它消失，它依旧存在于心里的某个地方。即使把它打包，邮寄到世界的尽头，它也会在你提到某个名字的时候突然出现在你的面前。

打开桌子上的电脑。MSN 上弹出一个窗口，是熟悉的 ID。

"莫莫，起这么早啊？"

小薇看了眼电脑上的时间，3：22，那个家伙那里现在才是晚上 8 点多吧，顺手回了一句，"特意来找你的咯。"

对方回了个笑脸，不过马上又跟上了一句，"是又做噩梦了吧？"

他在这种地方还是这么敏锐啊，不愧是搞情报工作出身的。

"嗯，其实最近已经好很多了……只是……我还是忍不住会想，如果当时我没有去追查那件事，大家是不是就不会是如今这样了。"

"没有什么如果，无论怎么做，有些事情很早就存在了，不是任何人的错。"

"是这样吗？"小薇敲击键盘的手有些迟疑。

"嗯。都已经过去这么久了，何必再折磨自己呢？"

"谢谢你，小伶。"

"你要是真感谢我就到奥地利来陪我啊。"

"应该是你这个两年没回来的家伙回来看我才对吧！"

"有什么要我查的还是可以免费帮忙的哦，我现在的黑客技术可是职业级的了。"

结束了和艾伶司的跨国对话，小薇走到阳台上，呼吸了一口清晨的空气，整个肺都凉凉的。拂晓的东方，启明星的光芒正在渐渐暗淡下去，转眼的工夫，天空中那颗最亮的星星就会被太阳的光芒所掩盖，从视野中消失。

就好像那个再次出现在自己面前的少年，清秀的面孔似乎在阳光下隐藏了太多的秘密。

揭不开的谜。

即便是揭开了，也未必能得到自己想要的答案。

咬紧下唇，小薇轻叹了口气。

只是如同有声音在耳边不断呼唤，不让她得到片刻安宁。

放不下的依旧放不下。

11

和聂天逸的初次相识是在学校实验楼的楼顶上。她自言自语地说他的坏话，结果被在那儿午睡的他当场抓住。

最初的印象可以说非常的差。他居然吓她说，她发现的秘密基地是学校里因为死过人而出名的禁地。她不信，可是没想到之后却因为自己的好奇心，被卷进了巨大的旋涡里。

自那时起，转眼五年过去了。

"学姐，你为什么会认为修亚是你的朋友呢？你们年级就不一样。"

"万一他休学呢？"

"他们的名字也不同啊。"

"又不是不可以改名。"

"而且他也说过他不是聂天逸了。"

"说不定他曾经失忆过。"

"学姐……""小薇……"

两个男生同时无可奈何地叹着气。一个是修亚的同学周谨，另一个则是被小薇用电话召唤来的夏汐。

周谨是个性格相当开朗的男生，不过从某种程度上来说，与其说他是开朗不如说他是有点儿八卦过了头。在自行决定留下劝解小薇的同时，毫不掩饰地表现出了对于她和修亚之间纠葛的极高的兴趣。

甚至，擅自决定要带小薇去拜访修亚的家。

"学姐去过他家就会清楚了，肯定是不同的人，而且，学姐之前那样对修亚是很失礼的，正好可以向他解释清楚。"

"哎？"小薇看见夏汐的眉头微微蹙起，显然不是很赞成这个意见的。

"这样太过唐突了吧？"

"不会，我之前早就和修亚说过要去他家玩儿的。"

"你是说要去，不过可没和伊修亚说带上我们。"虽然心里不怎么认同，夏汐嘴上倒也没多说什么，站在他的立场如果可以让小薇早点儿认清现实，把过去那个人忘掉，那就算跟眼前这个小子一起犯一次傻倒也是可以的。

一旦作好了决定，大家很快确定了时间，约好见面碰头的地点。小薇先行离开，剩下周谨和夏汐。周谨正准备打招呼走人，却冷不防迎上了对方不屑的一瞥。

"你还真是会多管闲事啊。"

仿佛和刚刚那个在女生面前神态温柔的男生是两个人似的，语气冷得让周谨打了个寒战，自己似乎招惹了一个惹不起的人物。周谨边走在路上边认真地思考着自己是不是作了错误的决定。

12

伊修亚的家不大，是一间适合两人居住的小公寓。

打开门看到是小薇他们的时候，修亚的惊讶是显而易见的，而且还有一丝犹豫和拒绝。周谨和他说明了来意是要澄清误会，修亚想了想，还是请他们在门口等了一会儿，说要先把房间收拾一下。期间还听到屋里"哐当"几声类似玻璃破碎的声音，大约十分钟之后，修亚才一脸疲惫地请他们进去。

小薇留意到，卧室的房门是锁上的，想来一些不该给他们看见的东西都已经锁好了。

"修亚，你一个人住？"周谨一副自来熟的样子，惬意地在修亚家的沙发上啃着苹果，倒刚巧问出了小薇心中的疑惑。

"嗯，我家在 A 城。这里是租的。"修亚的语气不太好，显然对周谨擅自把人带到自己家的行为大为不满。

"哎，这个是你的全家福吗？什么时候拍的？"周谨边吃边指着不远处墙上挂着的一幅放大照片。照片上一对夫妇中间站着伊修亚，修亚的样貌和现在的变化不大，看得出是最近一两年的照片。

周谨和修亚正聊着，小薇却在看到那张照片的瞬间心灰意冷起来。

原来那才是他的爸爸妈妈。

她所认识的聂天逸是单亲家庭，父亲很早就去世了。他的妈妈小薇虽然没有亲眼见过，但她作为著名模特而刊登在杂志上的照片，小薇还是记得很清楚的。

只要看到那位永远那么光彩照人的女性，就能了解那种总是包裹在聂天逸身边吸引众人目光的魔力是从何而来的。

　　而眼前照片上这对平凡的中年夫妇，虽然看得出保养得很好，笑容也那么幸福，可是那些幸福却丝毫映射不到小薇的心里。

　　毕竟是陌生人，无论是照片里的人还是和他们有血缘关系的伊修亚。

　　"陌、生、人"，这三个字敲打在女生心上，一字一驻。

13

　　"要不要，我们也租出去？一起。"

　　离开修亚家的路上和周谨道别之后，夏汐牵着小薇的手，突然回过身来，夕阳里脸颊被光线消去了一半，表情模模糊糊的。"就算你忘不了他，也该把自己解放出来了。那只是一个相像的人，你不是应该比任何人都清楚的吗？……和我在一起吧。"

　　男生随后而来的拥抱是如此的温暖。

　　但是胸口的那片空缺却越来越大，仿佛变成了一个黑洞，吞噬掉了所有的温度。

练习曲

　　练习曲(Etude),用于提高器乐演奏技巧的乐曲。它通常包含一种或数种特定技术课题。

01

烦恼地坐在 90 级才能进入的龙谷里想心事。突然一把长剑电光火石般从发际擦过。妙薇轻皱了眉头，长袖一舞，一道萤光飞了出去，照出一个穿黑衣的人影来。

"西夏，你出息了啊，刚学会天外飞仙，就要拿我试招啊。"

"哈，怎么伤得到你呢？我的大帮主。"

江湖上常与妙薇仙子相伴的快剑西夏，不是别人，正是那个在现实中也一直陪在小薇身边的夏汐。

初次见到那个名叫夏汐的男孩的时候，是小学一年级。

面对眼前完全陌生的环境和同学，她还是有些畏畏缩缩的。直到老师安排座位，男生和女生都在教室外排起队，按顺序配成一桌。她也不知道自己该排在哪里，只是默默地站在队伍的末尾。等到老师把大家的位置都安排好了，才发现孤零零留下的她，形单影只地立在教室的门口。

"你叫什么名字？"

"……莫小薇。"头低着，回答的声音很轻，小小的拳头紧紧抓着衣角。

老师的眉头轻轻地皱起，目光扫过教室一圈，最终落在角落里那个仅剩的座位，一时也不知道该作怎样的安排。教室里已经坐定的孩子们似乎也察觉到了老师的想法，都默默地坐在自己的座位上不吭声，害怕失去自己已经得到的位置。

突如其来的沉默让门口的女生更加手足无措，这时突然一个男孩子站起来。

"老师，让她坐我的位置吧。"

老师和小薇同时征了征，看向那个笑容里闪烁着明亮光点的男生。

"我个儿高，坐后面也看得清楚。"男生拿起书包，自己往角落的那个座位走去。老师回过神来，把他拉住，重新安排他和班里最高的男生调换了座位。

而小薇坐到了男生原本的位置上。刚坐定，旁边的女生就非常豪迈地对她进行了自我介绍，语速快得让小薇听了半天才反应过来。

"我叫白尔雅。你呢你呢？刚刚老师问，我都没听清楚你回答什么。"

"芭儿？我叫莫小薇。"

"不是芭儿，是白~尔~雅！还是和女生坐好，我才不想和男生坐一起呢。说话都不方便，小薇你也这样觉得吧？"

芭儿的话，让小薇又牵挂起那个把座位让给她的男生。

偷偷看向男生新坐下的位置，男生依旧是那副笑嘻嘻的样子，受到他的感染，小薇也冲着他甜甜地一笑。那略有些羞涩的天真笑容落在男生眼睛里，他也不自觉地不好意思起来。

02

媛媛常常说："小薇子啊，你怎么不恋爱、不约会啊？没有爱的滋润当心你的生命就此枯竭哦。"

小薇就问："恋爱和约会有区别么？"

"当然有区别啦，恋爱就是和固定的人约会，而约会就是一起出去做 happy 的事啰。我就比较喜欢约会，不喜欢恋爱。"

那我总是和夏汐约会，这样就算是在恋爱吗？

小薇在心里问自己。

关于夏汐说的一起住的事情，她并没有彻底地拒绝，只是说还要给她时间考虑。

大姐听说后不可思议地看着她，"为什么不答应他？你简直疯了。这么好的男人，陪了你这么久，要是我早就嫁给他了。"

"可是……"

"没什么可是不可是的，当初不是也是你自己提出分手的吗？"

可是那时，我还是爱着他的，即使现在……

就仿佛是灯火斑斓的游乐场里嘉年华表演正到高潮，却突然切断了电源，没有了声响，将她遗留在黑暗中。可是心里留下的仍然是那时五光十色的印象。

因为还有一个女孩子爱着他，比世界上的任何一个人都爱他，付出了整个人生在爱着他——那是她最熟悉的死党白尔雅。

他们欠她那么多。

"总之，你应该趁这个机会一鼓作气和夏汐在一起，把那个什么天逸，什么芭儿的事情都忘掉。没时间犹豫了，再犹豫，多好的耐性也是会被耗尽的。"

如果是在前几天，可能她真的会答应。可是在见到伊修亚之后，她就突然患上"怀念聂天逸"的重症，病入膏肓。

她开始查阅他们每一次的聊天记录和 E-mail，重新打开过去的手机翻看那些一直没有舍得删除的短信。拉开抽屉，长久地看着那仅有的一张合影，是参加夏令营的她、天逸、芭儿和夏汐。

一分开就又开始想你了，以后每年的暑假都一起过吧。PS. 下次一定亲到你。

宝贝，你别忘记了约定，你之后的人生我都已经预约了，以后无论是十年、二十年、三十年……你的时间都只是我一个人的。

为什么我总是会把你惹哭呢？但是我又忍不住好高兴，因为你的每一滴泪水都是为我而流下的。你是只属于我的。

过去对我来说已经没那么重要了，我只是想珍惜现在以及将来和你在一起的所有时间。

回忆密密麻麻地覆盖了视网膜，如同挣脱不开的枷锁。

滚烫的泪水刺痛了双眼，沾湿了手里定格的画面。

仅仅是想要忘记就已经用尽全力了。

03

那天，周谨神秘兮兮地跑来对小薇说，伊修亚在和人同居。

"他和谁同居关我什么事？"小薇没好气地反问，但是联想到那张脸，心里仍会有点儿不舒服，"再说你怎么知道的？"

周谨掏出手机，是上次他在修亚家拍的照片，他指着照片上米粒大的一点说："你看这里有双女式拖鞋。所以我们上次去他家，他半天才让我们进去，他女朋友肯定也在，我们居然没有发现！学姐你不会觉得不甘心吗？"

"会觉得不甘心才奇怪吧，那是人家的隐私。再说你这个证据也太没有说服力了。"尽管嘴上这么说，周谨的话却是印证了小薇当时在修亚家感受到的不协调感，客厅里的饭桌，怎么看也不像一个人用来吃饭的，而且阳台，似乎还晾着女性的衣物。

"是有点儿弱，所以我决定，学姐，我们跟踪修亚吧！"

"……不好意思我没空！！"

周谨的某种八卦特质像极了小薇中学时的学弟小伶——某个样子可爱得让人想拐来做弟弟的小男生。小伶比小薇小三岁，是她高中时认识的，全名叫做艾伶司。第一次见面时就被他天真可爱的样子迷惑，加入了"正太控"这一变态人群。和聂天逸交往时，也曾经委托当时在新闻社的小伶查过很多事情。

即使之后她转学，小伶留学到奥地利，两个人也一直保持着联系。小薇总爱说，应该让小伶认自己做姐姐的，而小伶总说，应该把小薇一起带走的。

正是因为这一点点的相似，再加上之前带他们去修亚家欠下的人情，也许还有那么点点的私心，让小薇最终拗不过周谨的一再要求，同意陪他去跟踪修亚。

"干吗非要两个人？"

"第五街的商业步道有情侣特惠赠礼活动。"

小薇觉得如果自己要习惯周谨异于常人的地方，还是需要一定时间的。

04

伊修亚正在书店里入神地翻着手里的一本书，没有发现几米之外的科技书架附近两个鬼鬼祟祟的影子。

没多久他拿起书去柜台结账，小薇见他走了出去，也迈步打算跟出去。周谨却拉着她，走到柜台跟前询问起来。

"不好意思，我想问下，刚刚那个男生买的什么书？封面挺好看的，我也想买。"

"哦，那本啊，《现在，只想爱你》。"

"没想到你还真买了。"走出书店，他们远远地跟着伊修亚。小薇看周谨真的买下了那本书，觉得有些不可思议。

"这你就不知道了吧，一段时间看什么书可以反映一个人的心境。"

"歪理……这本书讲什么的？"还是有点儿好奇。

"用一句话概括就是，女主角暗恋男主角，但是男主角一直没有发觉并一直喜欢另一个女生，等到他察觉了自己爱的也是女主角的时候，却没办法和那个女生在一起了……觉得如何？"

"被你讲得有点儿狗血，但是……世界上的事，大多是这样的吧。"小薇一时有些感慨，"相互喜欢，却不能在一起。"

"你不问他们为什么不能在一起？"

"为什么？"

"其实简介上没写，我也不清楚……"

"……"

跟了没多久，伊修亚就直接回学校了，周谨自然不用跟踪了，可以正大光明地和他一起上课，小说借给了小薇，说是怕被发现露了马脚。

躺在寝室的床上有些浮躁地读了几页，像是受了上午周谨的话的影响一样，迫不及待地一下子翻到了结局——他们为什么不能在一起……

翻完以后颓然地躺在床上，呆呆地望着上面的床铺，过了一会儿又拿起书，仔细地开始读起来。

这个世界上真的有爱上一个人就会死的病吗？

05

第二天小薇说什么也不肯和周谨一起去了，绝对是浪费时间。

下午夏汐来接她下课，一起去一家他们常去的法式餐厅吃饭。

那天以后，夏汐再也没有提租房子的事，小薇知道那是他的一种体贴。正如大姐所说，小薇也明白，如果错过了夏汐，再也找不到比他更好的了。

"小薇子，恋和爱其实是两回事。恋也许是用尽一生时间也难以磨灭的回忆，让人义无反顾投入其中，但是，女人最需要的还是爱，爱的形式并不仅仅是一种，有激烈的，有自我牺牲的，也有平稳安定细水长流的。怎样的爱才可以陪伴你一生，我想你应该比我清楚。"

小薇知道大姐并不是一个喜欢说教的人，只是很关心，也很担心自己。

但她还是需要时间。她想要再多一些的时间去把那些至今还在她的血液里浓稠的驱散不尽的情感，渐渐稀释成可以不去在意的东西。

吃饭时候的话题，围绕着实习升学的事。夏汐打算大四进游戏公司开始实习，而小薇则想留在学校里备考，准备继续深造。

"S公司面试得如何？"小薇问起这几天夏汐的面试情况。

"还算顺利吧，不过工作的地方离学校很远，我还在犹豫。"

"有什么好犹豫的，进S公司不是你的理想吗？"

"可是那样见你就不容易了……"夏汐的语气突然变得像一个撒娇的孩子，小薇明白他没有说完的话，这才是夏汐希望能和她一起租出去的主要原因。

两个人正聊着的时候，大堂的钢琴响了起来。身穿黑色礼服的演奏者坐在钢琴前，从小薇他们的位置，刚好只能看到他的背面。

"你知道这是什么曲子吗？"小薇聆听着钢琴的声音，向夏汐发问。

"哦，你知道？"

"是德彪西的《亚麻色头发的少女》。"小薇笑了笑，"说起来聂天逸以前还说要弹给我听呢，结果都没有弹，总是说话不算数。"想尝试说那个人就像说一个无关的路人甲，可是语气里的勉强却瞒不过眼前的青梅竹马。

"所以就不要总想着他了。"

"嗯……"

可是并不如答应起来那么容易，一个人发呆的时候总会忍不住思考那些问题，比如那个人今天在做些什么，还在不在弹钢琴，他和芭儿之间发生了什么，有没有认识新的女朋友……

即使失去联络，也会与她在同一天空下，在某个地方过着她所不知道的生活。

一曲完毕，喝彩声不断。小薇看到一个人向她的和夏汐的位置走过来，竟然是周谨。

06

"你不是要跟踪某人的吗？"

"所以我在这里啊。"

周谨指向钢琴的方向，小薇看到刚刚的演奏者转身向鼓掌喝彩的客人致意，居然是伊修亚。修亚像是也注意到了他们的目光，走了过来，和他们打招呼。

"这么巧，三个人一起？"

"哈哈，我和他们当然是巧遇，学姐和她男朋友自然是约好了的啦。"周谨总是改不了大嘴公的特点。

"哦，这样啊。"修亚一副意料之中的表情。

"我们不是那种关系。"脱口而出，连小薇自己都有些惊讶，为什么要在这个少年面前说出这种会伤害夏汐的话？她转向夏汐，夏汐也看着她，眼睛里的光点闪烁着，像是海啸前海面跳动的火焰。

周谨却没有察觉气氛的变化，不合时宜地又加了一句，"那也迟早会变成那种关系的，哈哈哈。"

总觉得空气的流动开始变得奇怪了起来。

和周谨、修亚见面以后，这一顿饭吃得并不算顺利。走的时候修亚送他们到门口，夏汐去前面拦车，留下小薇在门口等着。

修亚走到小薇的身边，声音擦过耳廓，只有他们两个能够听到。

"原来你和他是一对啊，我还以为，你喜欢那个聂天逸呢。"

07

伊修亚的话整晚都萦绕在小薇的耳边。

也不知道是不是受到那句话的影响，第二天，小薇鬼使神差地又同意了和周谨一起去做007。这次一路跟到了一间简单的民宅，在门口站了许久，记忆里的一幕蓦然被重演。

"这里也有这样的电影院啊。"

虽然过了五年，却又好像是发生在昨天一样。

这里是电影爱好者自己组织的小型电影院，没有电影 copy，只有碟片和投影仪。在高中一年级的时候曾经被聂天逸强迫带去过那样的影院。

也是在那一天，被男生脸颊上隐约的泪光吸引，一瞬间心脏也为这个男生隐隐地疼了起来。现在想来那时萌动的情感，便是喜欢上他的契机。

可是男生那时的眼泪，却是为了另一个女生。

讽刺的因果联系。

"你确定我们要和他买在同一排吗？"

"别担心，里面很暗的，什么都看不到。我们提前点儿退场就行了。"

周谨故技重施，问到了修亚的座位。竟然大胆地买了同一排间隔两个的位置。那位售票小姐提起修亚时说的一件事，很让小薇和周谨感到不解。

"那个男生啊，每次都买两张票，但是总是一个人来看呢。"

最后周谨一拍手，"我说的吧，他肯定藏了个女朋友。"

08

电影开始后，小薇和周谨才摸黑进了场，小薇欲盖弥彰地把自己藏在周谨身后。耳边时不时传来前排女生的小声议论。

"哇，那是玉木宏吧？好帅哦。"

"宫崎葵比《NANA》里还可爱呢。"

屏幕上字幕闪现——现在，只想爱你。

是那本书改编的电影吗？

与男生之间的距离和五年前相差了两个座位，好像一下变得遥远起来。修亚安静地坐在那儿，没有太多的表情。漆黑中仅剩的轮廓，随着画面的变换而变化着不同的色彩。

即使是天逸，到了这个年纪，也不会再为这样的爱情片流泪了吧？

"学姐，要喝饮料吗？"

"不要。"

"要吃爆米花吗？"

"不要！"

"学姐，要不要纸巾……"

"你有完没完？！"

"可是，你哭了哎……"

胡乱地抹掉脸颊上的眼泪，小薇也不知道自己是怎么了，莫名其妙就觉得伤感了起来。

好像又想起了那些以前不愿意去思考的问题。

其实她一直都想知道，天逸对她究竟是一种什么样的情感。从最初戏弄式地说要和她在一起，到之后许诺要和她相守终生，再到最后沉默地和她分开。

曾经有一段时间，怀疑与不安的情绪每天都在梦境里不断繁盛，过去的记忆也渐渐变得虚幻起来。

喜欢我的那个人真的存在过吗？

真的不是我创造出的臆想吗？

真的喜欢我么？

分开，也无法摆脱那种可以致命的病症。

恋爱死。

"哪哪，诚人，刚才的 kiss 里，有没有一点儿爱的感觉？"

"哪哪，天逸，我可以相信你是喜欢过我的吧？"

09

任务失败，被发现了。

没有在入场之后关掉手机，铃声响起来，古朴的琴声是小薇专为江湖里的朋友设定的。

"喂？什么？我们的城被打下来了？谁干的，天羽联盟？听都没听说过，晚上等我回来再说。"

气急败坏地讲完电话，只有两个座位间隔的修亚轻易地发现了他们。惊讶之余，脸上却还带着微笑。

走出影院，心虚地和修亚打招呼。这次无论怎么说，也不太像是巧合的样子。

修亚看着他们，脸上有种了然的神情。

"学姐你要是这么放不下那个人，就和我约会看看吧。"

像是被具有魔力的声音引领到神秘森林的入口，却不知道走下去会是看得到妖精的美丽山谷，还是充满瘴气的腥臭沼泽。

晚上回到寝室，刚上线就被人催着进入了游戏。赶到他们工会的城楼，一个身穿金色长袍、戴着面具的少年站在刚刚经历了战火洗礼的城楼前，他说："我等你很久了，妙薇仙子。"

"是你打了我的城？"小薇火气很大。

"是啊，不过我现在把城还给你。"

小薇一愣，"你到底想做什么？"

"我想要的是你啊，我的妙薇仙子。"

这句话一出，满服务器又沸腾起来。两三分钟的工夫，不仅聊天频道里人气爆满，论坛上"妙薇仙子倾国倾城"的帖子都被刷新了十几页。

大家都等着看妙薇仙子的答复，面具少年也笑眯眯地直盯着她。就在小薇不知道如何是好的时候，一把剑就横在了两个人面前，举着剑的是快剑西夏。

西夏正一肚子火没出去呢，现实里他抢不过她回忆里那个人，可游戏里，居然还有不怕死的想和他抢？

看来又是一场血雨腥风啊。

10

周谨说："学姐，这次约会你要把握住，我觉得修亚很有可能就是你认识的聂天逸。"

"何以见得？"

"他们不是都会弹钢琴吗？"

"这我也知道，还有别的依据吗？"

"长的一样就是最大的证据了！"

对于周谨，小薇也不知道是该感谢他好，还是请他以后不要再多管闲事好。今天本来和夏汐约好陪他看房子的，可是却好像着了魔似的，和伊修亚到了水族馆。

"你和聂天逸都不牵手的吗？"

"我又不是在和他约会。"

"这不是模拟约会吗？"修亚说这是模拟约会，让小薇把他当成聂天逸，这样才能更容易地发现他和聂天逸的不同。小薇对这种说法半信半疑，为了减少和修亚的接触，只是无名指勾着无名指，却因为那关节相抵摩擦出的若有若无的暧昧，比起十指相扣更加撩动人心。

牵着男生的手，像是回到了高中似的惴惴不安，一个人独自走在前面，回过头的时候，男生的脸上总是带着淡淡的笑容。虽然年纪应该比小薇小，但目光倒像是看着孩子嬉闹的长辈，包容但却总有些许距离。

"来看来看，这种鱼好可爱，会接吻呢。"

小薇看到一种粉红色呈心形的鱼相遇时，双方都会不约而同地伸出生有许多锯齿的长嘴唇，用力地相互碰在一起，如同情人接吻一般，长时间不分开。

"那是他们在抢地盘。"修亚看了一眼旁边的介绍，"Kiss鱼，还真是有迷惑性的名字。"

"很浪漫啊。"

"只是用最亲密的方式互相伤害罢了，和人一样呢。"修亚露出一个微笑。

小薇总觉得这个微笑有些残忍。似乎他的话里还隐藏着什么别的含义，让她猜不透。

离开了水族馆，小薇说："天逸会带我去海边。"

伊修亚两手一摊，"我又不是你的天逸。"

女生的眼睛一瞬间暗了下来，却又马上装出不在意的样子。只是分开的手却因为这样的拒绝藏在了背后，却又在没注意的时候被伊修亚一把抓住，并反客为主地拉了起来。

小薇有些不解地看着修亚，总觉得他脸上慢慢展露出的笑容和很久之前的另一个影子重合在了一起，变成回忆里永远鲜明的那个人——白色衬衫，笑容像夜空中辨不出冷暖的星辰。

内心也和此时手心的触感一样渐渐变得柔软了。

11

到达海边的时候是傍晚，橘色的天空有温暖且暧昧的光晕。小薇在海滩上堆了个沙堡，尖顶的城堡，两边各有一座塔楼。

男生只是看着女生一个人在堆，夕阳里一言不发。

"要涨潮了。"

修亚把小薇拉离沙滩的时候，小薇的沙堡还少一个庭院。等到他们走出海滩，站到公路上，海水已经覆盖了上来，淹没了那个小小的城堡。

"忘记吧，就算你堆得再好看，再怎么喜欢也只不过是海滩上的一堆沙子，海浪一来，就什么也不会剩下了。"

修亚的话语淹没在海潮声里，一个浪退去，小薇看着那一片沙滩，真的好像什么都没有存在过。

"在时间面前，所有的东西都只是这样的沙子，不是吗？"

小薇望着眼前的男生，没有回答，总觉得他的话里有些自己无法参透的东西。

离别时，修亚将一样东西塞进小薇的手里，"作为这次约会的纪念吧。"

恍惚地看着男生走远，才记得张开手心。白色的贝壳安静地躺在那里。一如当初和聂天逸到 A 城的海边时，他送她的那个，灯光下闪烁着美丽的光泽。

"你知道吗？贝壳能承载记忆。即使有一天我们都不在这个世界上了，也有这个贝壳记得我们的故事。"

小薇揉了揉太阳穴，心里总是堵得慌。

对过去的执念，如同复苏的荒草般从原本荒芜的土地里疯长出来，像是要把心里的每一寸罅隙都填满了。

12

修亚回到家，客厅漆黑，没有开灯。

"你何必再回来？"是修亚熟悉的声音，虽然看不见，但他知道她正坐在客厅中央的沙发上，"不是去了你学姐的身边吗？"讽刺的口吻，"学姐"两个字被刻意加了重音。

修亚有些疲惫地叹了口气，"根本不是那回事。"

"不是那回事？"像是从牙缝间挤出的几个字，声音的主人，丝毫没有掩饰语气里的不信与鄙夷，"你要是厌烦了我，你可以走，不必在这里假惺惺的。"

"说什么傻话？"不易察觉地犹豫了一下，修亚还是上前一步，紧紧拥住黑暗里因为愤怒而全身颤抖的人，任凭那些拳头都落在他的胸口上。

然而抑郁在胸口的东西还是堆积在那里，一点儿都没有被打散，而是变得坚硬起来。

时间可以证明一切，侵蚀一切，摧毁一切。
也可以将所有的爱沉淀成黑色腐臭的泥沼。

# 变奏曲

变奏曲（Variation），用变奏的手法发展一个主题，使主题能得到多方面表现的一种乐曲。

01

情感在时间的沉淀下往往会改变了原本的形状。

就像静躺在河流深处的石子，逐渐变得纯粹光亮圆滑。

你无法想象几万年前，那颗细小的石子曾经是宇宙里的一颗星辰。

冲破了大气层的重重阻挠，带着夺目的光彩撞击了我们生存的这颗星球。

最近江湖上都在传，最新崛起的天羽联盟的会长天羽公子在追求忘忧谷的妙薇仙子。

说实话，小薇起初并不喜欢这个打过自己城楼的男生，但是巧合的是这个天羽公子行事为人、言辞谈吐往往都能投她所好，让她想真的讨厌也难。

并没有多久，两个人就化敌为友——还是相当不错的朋友。也因此招来了快剑西夏和江湖里唯一能和妙薇平起平坐的阿修罗的不满。

三位高手为了妙薇仙子展开了一场混战，一时传为江湖上最热的绯闻。

然而，现实生活中的事情就够让小薇焦头烂额了，她根本无心去考虑虚拟空间里的情感纠葛。

02

陆媛媛经常会在寝室里总结恋爱经验，她会看很多这方面的书，然后通过不断地实践来检验书里的道理到底是否可行。

比如，查明在男生的朋友中谁是意见领袖，搞定他来获得最大限度的帮助。

再比如，对于男生的邀约，三次中总要拒绝一次。

还比如，会主动发消息给和她约会的男生，却从来都无视他们的回信。

小薇笑着说："男生遇到你也真麻烦，谈个恋爱还要给他们设这么多圈套。"而媛媛则不以为然，她说："你怎么知道？要我说，现在的男的才狡猾，他们给你设下的圈套要多得多。"

于是就有了小薇和夏汐以下的对话。

"汐仔，你会通过精心设计让我喜欢你吗？"

"……当然不会。"虽然答案没什么问题，但是之前大约 0.5 秒的停顿，还是让夏汐尝到了一个礼拜给工会采药做苦力的下场，按小薇的说法，这个问题应该是答得"行云流水毫不犹豫坚定不移的"，之后任由夏汐怎么解释，都没有什么挽回的余地了。

要是他会，就绝对不是今天这种局面了。

这是夏汐最后得出的结论。

芭儿最近又来过一个电话，心情很好的样子，说是交了一个男朋友，样子很像天逸。

"因为我就是忘不了他。"芭儿在电话里这么说。

小薇很羡慕芭儿无论什么时候都这么率直地表达自己的情感，让她对自己因为忘不了聂天逸去追着伊修亚，让夏汐陪在身边却又无法敞开心门接受他的行径，愈发厌恶了起来。

"你早该领悟了，你也应该知道那些都已经过去了，那只是一个幻影，四年前的他的幻影。即使今天聂天逸本人出现在你面前，他已经是和过去完全不同的人了。这几年来，确确实实存在在你身边的只有夏汐而已。"

"大姐我知道了，要是我不认识你，还以为你收了汐仔那小子什么贿赂呢，这么帮他。"

"笨蛋，我不是帮他，是帮你啊，等他跑了你就哭死吧。"

看着大姐佯装生气的样子，小薇心里不禁腾起一丝暖意，虽然芭儿不在自己身边了，但是还是有这么多好朋友关心着她的。

还有那个天羽公子，对她真的不错。服务器一个礼拜才刷新一次的天山雪莲居然给他等到了，送给她做攻城的赔偿。那可是制作全服务器能力值最高的神仙羽翼的必备材料。

而天山雪莲生长的地方一直都有高等级的 boss 在巡逻，还从来没有人成功采获过。她只是上次偶尔和他提过，没想到竟被他放在了心上。

有一个人对自己这么好，即使是虚拟世界里的，小薇也感到胸口有种特别的温暖。

03

"喂，一直追着对自己没有意思的人跑，最差劲了。"

"你不会这么做吗，如果认定了是她的话？也许在其他人看来可能是很丢脸，但对自己来说，所做的一切都只是因为喜欢她而已。有一个能让你这么喜欢的人，不是一件很棒的事吗？"

在门口遇上对夏汐挑衅的学弟悻悻离去。小薇看着夏汐轻笑着说："看不出你比我这个学心理的人还能掰。"

"什么掰，都是真心话血泪史。"

夏汐在公司和小薇的学校距离折中的地方，找到了一间合适的公寓，陆续地把自己的东西都搬了进去。男生半蹲在地上整理着一堆数量可观的书籍，小薇发觉那些书大部分是以前逛书店时自己强迫男生买的，都是些她想看却不想买的书，一本两本……没想到竟累积了这么多。

再想到那天没能陪夏汐看房，却和伊修亚在一起，总觉得相当的歉疚。

"对不起，没能陪你一起……"

"没关系，下次补偿我来陪我住几天。"

"换个别的补偿。"

"真小气。"

"不要拉倒。"

"我想想……"

男生对于小薇提出的建议，假装在思考般地露出一丝恶作剧的笑容，在女生还没有反应过来的同时，迅速地在女生的额头上落下一个吻。

"那补偿我就收下了。"

看见夏汐露出孩子气的表情，笑容明亮温暖，小薇心里的郁结也跟着融化了一些。自那天和修亚告别，她发觉自己真的该好好思考下之后的人生了。

虽然还摸不准幸福的定义，但如果牵起面前这个男生的手就能够得到幸福了吧。

"哼哼，你什么时候贴了这么多美女海报啊？"

"……嘿嘿，可都是我的心灵绿洲啊。姑奶奶，别撕啊……"

那个下午夏汐的惨叫响彻了整个公寓。

04

周谨来找小薇说他放弃了跟踪。因为修亚承认了他真的是和女朋友住在一起。小薇对修亚至今都没有和周谨绝交深感奇怪，周谨却完全没有自觉的样子，他把自己这种状态叫做大智若愚。

"你老是打听别人的隐私，你自己有什么秘密吗？"小薇忍不住问周谨。

"有啊，我的秘密就是我知道很多别人的秘密。"

周谨又约他们去修亚家玩儿，夏汐不是太想去，当然更不希望小薇去。但是小薇觉得就当是还清欠周谨的人情，也是对自己试着放下过去的锻炼，还是硬拉他去了。

知道了修亚是有女朋友的，房间里的那股不协调感就消失了。只是盯着他家那张全家福的时候还是觉得有种莫名的突兀。

"修亚啊，我发现你和你爸爸妈妈都不像的。"周谨每次都是第一个发起疑问的。

"嗯，因为我是养子。"

像是魔术师打开了惊奇箱，你无法预料箱子里一个接着一个地会出现什么。

05

再次和夏汐、周谨约在校外的餐馆碰头。周谨来的时候抱着他的笔记本电脑，里面有他收集的有关修亚的资料。

知道修亚是养子之后，夏汐的第一个感觉就是也太巧了吧。没错，这个叫做伊修亚的和聂天逸是很相似，即使是自己第一次见也差点儿产生了错觉。

回想起三年前，毕业典礼结束，他打算起程离开原本的城市去找小薇，而那个少年独自在学校的礼堂里弹琴，空无一人的礼堂里琴声回响，如泣如诉。

他背对着他，语调里是浓浓的无奈，"喂，不要让我后悔。"

是要求也是嘱托。

难道说聂天逸有什么原因故意要假装成另一个人和他们接触？他始终觉得那种电视剧里才有的情节不会随处存在。所以，从一开始他就不认为伊修亚会是聂天逸。

还好，周谨拿来的资料里，并没有再次出现巧合。年龄和生日都是和聂天逸完全不一样的，特长栏里也仅仅写了钢琴，没有聂天逸最为擅长的田径。

"喂，你的资料可靠吗？"

"拜托，这个是他自己填的学生资料登记。"

"会不会是乱填的？"

"我觉得没有这个必要，不过可以查查看身份证……"

"修亚会和你绝交的……"

"我可是一片好心啊。"

话题变成了用什么办法能自然地让修亚拿出身份证。

"就说要看看上面的照片好了？反正说是周谨好奇，也没什么不合理的。"夏汐建议。

"不能入侵学校的档案库么？"周谨深感夏汐说的方法会让人觉得他的性取向有问题。

"你以为拍电影啊？"虽然觉得艾伶司大概是能办到的，但是又不想把他牵扯进来。给他知道了，估计又要被说教了。

　　"要么去一次短途旅游？学姐再叫你的两个室友一起好了。三个男生三个女生。住旅店的时候就可以看身份证了。"

　　"需要这么大费周折吗……"

　　然而最后他们还是采纳了这个最麻烦的主意，或者更多的是遵从了自己想要出去透气的心情。

06

　　在高中时期，老师们一直宣扬大学就是随心所欲不用为学业担忧的国度，高考就是一次定终生云云。可进了大学，有英语四、六级，有高等数学。老师们反正也没太多闲心对你负责，要不要学都由着自己。总之学业的问题依旧让小薇伤透了脑筋。

　　伤脑筋的不仅是学习，还有考场里的监视器。

　　不过说起校园生活，倒是比高中时候自由得多。尤其是住宿在学校里，少了总是在身边管进管出的父母，对于小薇这种做惯了乖宝宝的人，更是像脱缰的野马一样，心再也收不回来了。和媛媛还有大姐一起混成了学校里有名的"魔女三人组"，不过除了她，另外两位可都是恋爱方面的高手。一个身经百战，一个知识渊博。

　　在周谨的策划下，大家抽了一个周末到了 S 城近郊的 Z 城。

　　Z 城并不是什么热门旅游景点，只是一个被护城河围绕着的小城市。街道上的人不多，整个城市宁静得好像在沉睡中一般。

　　到了当地，小薇她们就忘记了原本的目的，甩掉了三个男生，三个姐妹开始悠闲地游荡。

　　"那个就是你说的像你前男友的男生啊，确实够帅。啧啧，你说你这个丫头命真好，摊上两个都是极品，我能理解你的难以取舍。"媛媛是第一次看到修亚。

　　"小薇子才不是难以取舍呢，之前都跑来问我和男生一起住的注意事项了。"大姐把媛媛的头拧回来，省得她总色迷迷地盯着街上的帅哥看。

　　"啊，你终于决定和汐仔同居了？"

　　"哪有那么快？我们甚至还不算在一起呢。"小薇摇了摇头。

"你们这样都不算在一起，那我可不知道怎样才算在一起了。不过我坚信你一定会嫁给汐仔的，如果那个什么修亚不出来搅局的话。就算他出来搅局你也要坚定点儿，在这件事上我绝对是支持汐仔的！"嫒嫒摆明立场。

"我也是哦。"大姐也跟着举手同意。

"你们倒是同仇敌忾嘛……"话还没说完，就接到一个电话，电话那头有些不满又有些无奈的抱怨让小薇不禁笑出了声来。

"谁啊？"

"周谨。"

"说什么？"

"叫我们快回去，不然汐仔和修亚就要把 Z 城的 MM 泡完了。"

经过一家经营天然水晶和玉石的小饰品店，小薇拐进去想买点儿纪念品。

营业员小姐很热情，非常详尽地给她们几个介绍不同水晶的功用。什么紫水晶能开发智能，平稳情绪，提高直觉力；黄水晶能增强个人自信，聚财，带给人意外的财运；黑水晶也叫黑曜石能加强自信，避邪，治病，改运；粉水晶可以帮助追求爱情，把握爱情，带来桃花运。

这样一番介绍下来，嫒嫒自然是选中了粉水晶，还恨不得把手腕都给带满了，而大姐则是买了一条黄水晶手链。

小薇正在犹豫不决，小姐指着一串黑水晶的手链，推荐说是送给男朋友既能辟邪，又能避桃花。大姐和嫒嫒也怂恿她买，小薇有些心动却又觉得不那么合适。

送给夏汐吗？自己都不能承诺他什么，送他这样一条手链，也太过自私了吧？又或者该趁这个机会，把两个人的关系明确下来？

刚想取手链下来看看，另一个人的手也同时伸向那串黑水晶，和小薇碰到了一起。

转过头的时候，被骇得后退了几步。

同样看中这串手链的也是一个女生，只不过这个女生真的……

"好……可怕。"这句是小薇心里想的，可不敢说出来。因为此时眼前的这张脸真可以用惨不忍睹来形容。

小薇一直觉得自己并不是一个以貌取人的人，但是看到这个女生的样子，还是忍不住露出了惊骇的表情。整个脸颊半边完好，半边沟壑纵横，粉红色的新肉和深褐色的疤痕交错成一个又一个凹陷，真让人觉得触目惊心。

不敢多看，视线下意识地从女生脸上移开，触在手链上的手也不自觉地放了下来。对面的女生并没有客气，看了小薇一眼，便面无表情地取下手链去结账了。

而这才反应过来的小薇选了一对 Z 城特产的吊坠，打算回去寄给芭儿，算是作为她开展新恋情的贺礼。

07

走了一天，终于可以回到旅馆休息了。

等待伊修亚拿出身份证的那一刻很激动人心，但是没有想到，男生朝钱包里看了看，说了句"忘带了"就打破了他们的计划。最后只有其他人拿出俩身份证——小薇他们订了两间三人房，男生一间女生一间。途中也有媛媛、大姐硬要多订一间房把小薇和夏汐凑在一起的小小风波，不过，并没有影响到最终结果。

晚上时间还早的时候，男生们跑到女生房间来玩儿。不大的床上坐了六个人，媛媛提议玩儿牌，输的人要被罚真心话大冒险，第一个被提问的是夏汐，话题自然是离不开小薇了。

"说说，你什么时候喜欢小薇的？"大姐的问题太过厚道，立刻就给媛媛推翻了。

"太没挑战性了，应该是问他们两个做过的最亲密的事，详细描述。"媛媛显然不愿意放过汐仔。

"最亲密的事啊……"夏汐煞有介事地在思考着，小薇稍稍有些脸红，毕竟除了姐妹还有其他两个男生，周谨就算了，酷似聂天逸的伊修亚在场，真是让她觉得有些尴尬了。

"算了，我就大冒险好了。"发现小薇正可怜巴巴地望着他，夏汐忽然就转变了态度。媛媛不满地吵吵嚷嚷："不准改不准改，就这么宝贝你家小薇啊，这点儿事情都不肯说，你把她宠到天上去了，当心自己连骨头都不剩哦。"

"那也是我心甘情愿的。"

"汐哥你也太强……这种话说出来也不脸红。"周谨跷起拇指表示敬佩。

小薇看着那几个人有越扯越过分的趋势，忍不住出言阻止，"有什么啦，汐仔就说给他们听好了。"

"那我可说了……"夏汐丢过去一个"你可不要后悔"的眼神，"最亲密的一次，大概是睡在一起吧……"

"哎！"房间里的所有人同时发出了惊叹，其中还包括里小薇她自己。

"脱了衣服盖一条被子那种？"

"嗯，是脱了衣服盖一条被子那种……"在媛媛几乎把眼睛瞪出来的同时夏汐补充道，"不过是在小学的时候。"

这时，小薇也想起了小学时的那件糗事。

小薇小时候很内向，但是却又总爱逞强，刚入学的时候不敢和男孩子说话，唯一能和她正常交谈的就是开学时候和她交换座位的夏汐。也因此常常被别的男生欺负，现在想来不过是小孩子明明喜欢却要闹别扭的脾气使然。不过那时候的小薇可不明白，总是默默地哭。每次被芭儿和夏汐发现了，都会去给她报仇。

一次在教室门口被推倒了，脸颊蹭伤了一小块，摸到自己伤口流出的红色血液，小薇吓得在教室门口大哭了起来。事后，和那个肇事者一起被叫到了老师办公室，老师严厉地训斥了那个男生，小薇红着眼眶在一边看着，整个过程就记下了老师随口说的"女孩子给你搞破相了，以后怎么办"。

一整天都为老师的话忧心忡忡，放学后夏汐来找她，问她发生了什么事。

小薇"哇"地就拉着夏汐直哭，"怎么办？老师说我要破相了，破相了就没有人喜欢我了。"

"怎么会？没事的。几天就会好的。"

无论夏汐怎么劝，小薇还是一直哭，直到夏汐承诺就算她真的破相了，他也会喜欢她，哭声才渐渐变小了。

"你真的会一直喜欢我？"

"嗯，无论小薇怎么样我都会一直喜欢你的。"

"那你要和我结婚才行。"

"啊？"

就这样，小薇硬把夏汐拉回了家，小薇的父母看到夏汐的到来相当的惊讶，听孩子们说了始末以后又觉得这件事太过可爱。那时两家已经比较相熟，于是小薇的父母打了电话给夏汐的家人，说明了原委，让夏汐晚上在他们家过夜。

入夜，两个人一起睡在小薇的床上——那时小薇的观念里两个人睡在一起就叫结婚。

小薇在被窝里拉着夏汐的手，"小汐，今天以后我们就结婚了，你要说话算话一直喜欢我的。"

夏汐点了点头，其实看到小薇爸爸妈妈善意的笑容，也大概能够猜到结婚不仅仅是他们今天这样。但是为了能让面前的女孩子不要那么难过，他只是把疑问默默地放在心里。

小小的躯体依靠在一起，很快呼吸声就变得平稳起来。

只不过小薇当时可没有想到夏汐会一直遵守着那时的约定直到现在。

并没有留给他们太多的回忆时间，游戏还在继续。小薇和夏汐之间的气氛隐约有些改变，相视的时候会露出会心的笑容。而很快就轮到了伊修亚被提问，发问者是小薇。

媛媛又唯恐天下不乱地撺掇起小薇，"问他到底是不是聂天逸好了，你不是一直想知道吗？"

小薇想了想，还是对媛媛摇了摇头。如果自己真的要试着放下，这就算她的第一步好了。

"我想知道以周谨这样的性格，修亚为什么没有和他绝交。"

"学姐……"周谨在旁边一声怪叫。

小薇的问题显然有些出乎修亚的意料，他沉默了一会儿，像是想到什么似的笑起来，才说："因为周谨示爱的方式和一般人不大一样。"

"是爱你所以要查你隐私的意思吗？"媛媛用看怪异人士的眼神瞄了一眼周谨。

"差不多就是这个意思了。"

"别说这么容易让人误会的话啦。"周谨哭丧着脸，不知道要从何解释起。

不过可没有人同情周谨，游戏还在进行。没多久小薇也败下阵来接受惩罚，而提问的人是修亚。

"说说你和聂天逸以前的事好了，我挺感兴趣的。"修亚的问题让大家都安静了下来，他却没有什么自觉的样子，只是直直地看向小薇。

"让我说点儿什么呢？"小薇歪过脑袋，强迫视线避过修亚。

"就说喜欢他什么地方好了。"

"喜欢他什么地方啊……都快忘记了。"

小薇吐了吐舌头，其实不是这么容易就可以忘记的。从提到他的名字开始，回忆就一点儿一点儿地被抽出来，变成脑海里一张张生动鲜活的画面。抬起头，对面坐着的伊修亚也正看着她，目光在空气中对接，小薇觉得有些迷惑。眼前的伊修亚和回忆里的聂天逸，在恍惚中再次重合在了一起。

"他笑的样子吧，好像什么都无所谓似的，还有他拽拽的好像自己无所不能的时候。"

"那和修亚一点儿都不像啊，修亚总是喜欢把自己搞得很高深莫测的样子，尤其是笑的时候。"周谨听到小薇的回答在一边嚷道。

"本来就是两个人。"夏汐则是有一点儿不满。

视线交错在几个人之间，改变了空气的走向。气氛瞬间有些沉闷，有种一触即发的危机感。冷场了两秒钟之后，媛媛第一个反应了过来，继续拉着大家往下玩儿。

这个时候，修亚的手机铃声响了起来。他接起电话，脸上露出了讶异。

"你怎么来了？你在哪儿？在那儿等我，我马上过来。"

急促的语调暴露了修亚的担忧，他收起手机，说是Z城有个老朋友，要去见一面。时间已经不早了，修亚又要离开，媛媛也建议大家今天就到此为止先休息了。

08

第二天早上，修亚就来电话说，自己要先回去。

周谨开玩笑说，说不定是女朋友不放心他和女生出来也跟来了，所以要陪着回去。

回到学校的时候，圣诞舞会正在紧张的筹备之中。S大的圣诞舞会也是学校历年来的传统保留项目，相当受学生的欢迎。每年的圣诞舞会都有不一样的主题，还有S大公主的选拔活动。而今年公布的主题是假面舞会。

S大的圣诞舞会即使不是本校的学生也可以参加。但由于今年的特别主题，所有的人都必须单独入场，而且每个人都要戴上工作人员事先就准备好的不同面具，给这个特别的夜晚又增加了很多不确定因素。

对于这种舞会原本小薇是不喜欢的，只是去年的时候受媛媛的蛊惑去了一次，还机缘巧合地获得了S大公主的称号，自此才改变了对舞会的看法。

邀请夏汐作为舞伴出席的时候，少年还是颇有些得意的。毕竟，一起在舞会这样的场合出现，差不多就是公开承认两个人的关系了。

回家上线以后又见到天羽公子，他似乎最近心情不大好的样子，据说又挑了一个门派的城楼。

"怎么了，阿修罗又来找你麻烦？"

"不是，是一些现实里的事情。那小子想影响到我，还要修炼一百年呢。"天羽见到妙薇还是相当的开心，并约她一起去练级，也没问起她最近为什么没有上线。

再加上每天来捣乱的西夏，和突然与天羽变成同一战线的阿修罗，四个人每天杀怪，做任务，制霸着服务器，日子还是过得很快的。

到了舞会当晚，小薇打扮妥当，先去会场门口等夏汐。然而才到门口就被一堆早就埋伏在那里的工作人员拖进了舞会。显然，舞会主办者们的目的，是想把所有有伴儿的人都拆开，然后用面具和昏暗的灯光，让他们彼此不能那么轻易认出对方。

她被拖至了面具贩售处，每个人都先要购买面具，作为舞会的入场费。她选了一个金色的狐狸面具，在会场里找了个地方先坐了下来，发了条消息给夏汐就开始等待。

按照舞会的规定，所有参加者一旦进场就必须戴上面具，擅自摘下的人则会失去资格。小薇戴上面具并没有多久，其他的参加者也陆续进了场。小薇就看到满眼的蝴蝶、蜻蜓、蝙蝠，甚至还有蜘蛛侠、忍者神龟、变形金刚……

夏汐能不能找到她呢？小薇的心里有点儿紧张。之前发消息的时候大言不惭地说要送特别的圣诞礼物给他，现在却有些忐忑不安起来。本来是下定决心，要搬去和他同住的，但不知道为什么到了这个时候却又有了想要临阵退缩的感觉。

"我能有这个荣幸邀请你跳一支舞吗？狐狸小姐。"等了相当久的时间夏汐都还没来，也没有回复她发的短信，坐在会场里有些无趣的小薇却在这个时候受到了邀请。抬起头，是另一个戴着狐狸面具的男生，声音很熟悉。

"修亚？"

对面的男生没有回答，只是牵着小薇的手把她拉到了舞池的中央，然后随着音乐旋转起来。

有没有过这样的经验？被一个陌生的人引领到一个陌生的地方，大家的目光都聚焦在你的身上，心脏紧张又兴奋地跳个不停。

但是……

"慢慢慢……你会跳舞么？"

为了不让自己新买的皮鞋被踩出第三个鞋印，小薇忍不住发问，结果对面的狐狸老实地摇了摇头……小薇无奈地看着自己的舞伴，想把他拉回休息区。结果狐狸又摇了摇头，牵着小薇的手，拉她到了钢琴旁边。

对着原本坐在钢琴前的女生耳语了几句，女生露出了暧昧的笑容离开座位，狐狸坐在钢琴面前，开始弹奏。

只听开头的旋律，小薇就分辨出了这是那个人唯一弹给她听过的曲子——莫扎特 C 小调幻想曲 K475。

整个会场仿佛在钢琴的曲调里安静下来，渐渐地只能听到琴键间倾出的旋律随时空不断变换。

倒回又前进，前进又倒回。

一曲结束，男生离开钢琴起身向场外走去。

"天逸。"女生在后面叫出那个名字。

男生停住了脚步，回过头，狐狸面具下看不出任何表情。然而他一言不发地看了小薇一眼，便又转回头，走出了会场。

"伊修亚你就是聂天逸对不对？"小薇追出了会场，想要拉住还没有走远的男生，"为什么，为什么一直要骗我呢？其实你就是天逸，对不对？"

一时间无数个镜头在脑海里不断闪回。

特别的电影院。

分别时赠予的贝壳。

熟悉的钢琴曲。

不协调的全家福。

修亚就是天逸，只是换了名字故意要欺骗她，而且他已经有了新的女友，却还要用那种若即若离的态度来接近她。

四年来一直无法忘记的恋人却以这样的方式再次和她重逢。

让她一时不知道该作出什么反应好。

追上了男生,伸手揭开他的面具,面具下,映在小薇眼里的是修亚有些无奈的表情。

"学姐我说过很多次了,我不是聂天逸。"

09

手机铃声响了好几遍,小薇却完全没有心思去接,只是拉着修亚的衣角,不愿松手,但却也不知道该说些什么。

脑子里一时涌现出了很多的想法,但是只是一个个把原本就已经混乱的思绪搅得更加一团糟。

"都说了我不是聂天逸!"

"可是你弹的是他的曲子。"

"这首曲子很多人都会弹啊。"

"可是你和他那么像!"

对话以这样的形式不断循环下去,直到忍耐越垒越高,最终整个倾倒下来。

"就算我是聂天逸,怎么样?不是又怎么样?聂天逸是你原来喜欢的人吧,那如果我是聂天逸我如今也已经有了女朋友。更何况我根本不是聂天逸,你也没必要纠缠着我,就算你纠缠着我,我也不会喜欢你的。"

女生被男生突如其来的话震在当场,不知该作出什么样的反应才好。

"这样的时候就笑吧。"

这是那个早熟的小鬼常对自己说的。

艾伶司刚出国那会儿,隔一段时间就发很长很长的 E-mail 给她,还有他拍的照片,拼图一样的照片,六张照片可以拼成一整个广场,照片上的人却处在不同的时间轴上。

他会在 E-mail 里写因为语言不通而遭到的排挤、导师的轻视、生活上的不便,也会写在那个陌生国度看到的美丽风景、对他相当照顾的中国师兄,还有不同的生活感悟……

他常常说,流泪或者逃避都是没有用的,既然如此,不如用笑容去面对。

"对不起,是我太唐突了……"

　　小薇硬生生地挤出一个笑容，强忍住想要冲出眼眶的泪水。周围渐渐有人注意到这个不同寻常的状况围了上来。

　　在女生这样的笑容面前，修亚只能拿着面具从人群里逃开。

　　他在夜色中飞奔着，直到校门口才停下来，喘着气，背倚着墙慢慢地坐下。回过神，才发现自己的手里还死死地捏着争执中夺过来的两个面具。两副狐狸面具，在昏暗的路灯下闪着冷冷的金属光泽。少年的手轻轻地拭过金色的那个。

　　没有人猜得透他此刻内心的想法。

　　少年有些出神地凝视着面具，前方出现了一个模糊的身影，渐渐走近，逆着光的脸影影绰绰。直到人影在他面前站定，修亚才回过神来。望向她，两人目光交会，沉默了许久，修亚淡淡扯出了一个有些苦涩的笑容，"现在，你满意了吧？"

　　此时，另一个少年因为疼痛倒在房间的地板上，手里握着一直没有接通的手机。

10

你看见过两只在冬天里想要互相取暖的刺猬吗？

在白皑皑的雪地里彼此靠近，拥抱，然后被彼此刺得鲜血淋漓。

我想要靠近你，是因为我爱你。

我想要离开你，也是因为我爱你。

想要你好好地活下去，想要你不再感受到疼痛，想要你远离所有的悲伤。

你有看过那种悲伤的画面吗？两只刺猬，默默地转身，朝不同的方向离去。

波尔卡

波尔卡（Polka），捷克的一种民间舞曲，以男女对舞为主，其基本动作由两个踏步组成，一般为二拍子。

01

那天小薇一直没有接的电话是夏汐来的。

夏汐生病了，虽然并不严重，但是足以影响到他不能来参加圣诞舞会。去看望他的小薇没有提舞会上发生的事，但是以夏汐对她的了解，已经可以看出她的不同寻常。

小薇坐在床边默默地给夏汐削着苹果，刀机械地沿着果皮的边缘螺旋状地转动。

从小圈到大圈再到小圈。

自己就像被捆绑在了其中。

小薇其实自己也很明白，自己告别不了的是过去。

她也知道这就如同大姐常说的，"每个人都是一样的，在分开的时候明明不舍，但覆水难收。之后变得常常挂念，纠结，开始对不起下一个爱人。再次分开了才发觉又错失了，如此往复。"

因为过去是一个永远都无法摆脱的东西。

即使已经变成了回忆，却不像书本般安静地被放置在书架上，想看的时候可以随时翻看。那段回忆就像是一座沉闷的火山，随时会从沉睡中苏醒过来，将周围的一切都燃烧殆尽。

来之前接到芭儿的电话，说是收到了她的礼物，很漂亮，还问了她在哪儿买的。想和她说伊修亚的事，却又不知道该如何提起。据芭儿的说法，她和天逸在毕业之后就各奔东西了。芭儿还留在 A 城，天逸随母亲离开。之后便和小薇一样，与天逸完全断了联系。

如果这个时间见到他，芭儿又会是怎么样的表现呢？

想起芭儿口中那位很像天逸的男友，如果伊修亚不是聂天逸，那自己不就是在做着和芭儿相同的事，在一个人身上寻找另一个人的影子？

或者她所相信的那些线索也只不过是捕风捉影，只是盲目地想要寻回逝去的感情。

正如修亚说的，四年了，即便是真的天逸在自己的面前，也已经不是过去的那个天逸了。

一段恋爱就好像某种罐头食品，尽管被封存着，可是每段都有它的保存期限。

而属于她和天逸的也应该过期了。

"今天怎么了？这么安静？"夏汐接过小薇削好的苹果，看到她出神的样子，有些担心。

"嗯，没事，不想吵你啰。"小薇勉强地笑笑。

"你会这么体贴？太阳打东边出来了。"

"……太阳本来就是东边出来的哦。"

"……"

看见夏汐因为口误而痛心疾首的样子，小薇的心情稍许好了一些。

"对了，你说要送我特别的圣诞礼物的。"夏汐见小薇脸上又有了笑容，才收敛了夸张的表情。

"啊……"

"别告诉我你已经忘记了。"夏汐大受打击。

并不是忘记了，而是心境已经有了改变。这个时候搬来和夏汐同住，怎么看都是不妥当的，只能搪塞过去。

"忘在家里了，下回带给你。"

"下次可别忘了哦，我也有特别的礼物想给你呢。"

"是什么？"

"暂时保密，用你的礼物来交换。"

看到病床上夏汐毫无疑虑的灿烂笑容，小薇心里又升起了强烈的负罪感。

02

青石街的某间公寓里，伊修亚总是对着面前的金色狐狸假面发呆，他不自觉地用手指轻轻抚过面具的轮廓，好像在抚摸着情人的脸颊一般。

而房间里的另一个女生，只是恨恨地看着这一幕，攥紧了手里的丝绒袋子。她的另一只手里拿着一只玻璃杯，已经被她从桌上举了起来。她近乎艰难地将目光从男生那里转移到杯子上，然后缓缓地放下。

将杯子放回桌子上的那一瞬间，她朝男生的方向喊了一句："修亚，我有礼物要送给你。"

03

圣诞节过去似乎只是一瞬间的事，美女辅导室的工作也随着学期的结束接近尾声。对于小薇来说似乎越来越难碰到修亚了，只是周谨有事没事还会来找她。

不过她也看得出周谨明显是醉翁之意不在酒。

"都快考试了你还这么闲？"

"嘿嘿，是呀，都快考试了最近怎么都看不到媛媛姐啊？"

"你不是校园八卦通吗？还来问我？"

"学姐，你就透露透露嘛，八卦通也要有情报来源啊。"

周谨这个没心没肺的家伙居然喜欢上了心理学系公认最难搞定的陆媛媛，前途多舛啊，莫非是传说中的报应？小薇不禁这样想。

不过她倒也不会替媛媛隐瞒行踪，本来媛媛就是让她们越广泛宣传越好，帮她拉点儿客人。当然她和大姐都没有真的去这么做，毕竟在酒吧打工这种事，还是不要传到老师的耳朵里为好。

但对于周谨，她还是很乐意看他去碰碰壁的。

于是马上就抄了一个地址给他，并且告诉他只有晚上能看到媛媛。

"对了，最近怎么没有看到汐哥来接你啊？"

"他前段时间病了，现在我每天去看他，他当然不来了。"

"什么病啊？"

"急性阑尾炎，挂几天水就好了。"

"学姐你可要多关心他啊。"

"这关你什么事？"

"根据我多年情报工作者的经验，汐哥这样的男生很难得的，学姐可不要因为修亚那小子就错过了。"

"不需要你来说！"

周谨不等小薇拿课本丢他，匆匆逃离了肇事现场，边跑还边嘟囔着："修亚那小子现在才幸福，之前还看到他戴着女朋友送的手链。哎！"

04

修亚被周谨拖到酒吧的时候是八点左右，陆媛媛的表演已经开始了。

两个男生也算是在今天大开了眼界，谁会想到心理学系的女大学生，会是酒吧里最火辣性感的舞者？

媛媛在上面跳完一曲又是一曲，周谨在下面和修亚聊了起来。

"喂，修亚，你怎么圣诞舞会以后就一直怪怪的？听说你和小薇学姐在会场外面吵架了？"

"吵架？谈不上吧。"修亚对这个话题显然不想多谈。

"听说最近汐哥生病了，学姐每天都去照顾他呢，真是幸福，要是媛媛姐也能照顾我，要我多病几次也愿意的。"

"是吗？她在照顾他啊。"修亚的目光移向了远方，语气也有些缥缈了起来。竟好像在联想那样的场面。

"修亚你吃醋了？你有女朋友就不要招惹学姐了。"周谨又在一边嚷起来。

"你懂什么啊？谁想招惹她了！"

看到修亚有些真的动怒了，周谨被吓了一跳。他盯着修亚看了一会儿，还是鼓起勇气指了指修亚手腕上的黑曜石手链。

"我只是觉得你的女朋友也挺在乎你的。所以，你不该做会让任何人误会的事。"

05

修亚回到公寓的时候已经接近两点了，被之后下台来的媛媛灌了不少伏特加下去。虽然是兑了果汁的，但是几大杯下肚也已经有些站不稳了。

打开房门的时候听到里面有些乒乒乓乓的声响，也没有在意，只是推开自己房间的门躺在床上就沉沉地睡去了。

梦境里看到熟悉的两张笑脸，不断变换着，由远及近。然后两张面孔合二为一幻化成第三张脸，狰狞地盯着他，目光仿佛勒住了他的咽喉。

无法呼吸。

从梦中惊醒，修亚才发觉客厅里的动静不寻常。打开房门，外面的东西摔得乱七八糟。一地的玻璃碴之中被切割得四分五裂的狐狸面具一双空洞的眼睛正朝向他的方向，令他不寒而栗。而那个肇事者却一点儿没有逃跑的打算，只是站在原地冲着他冷笑。

修亚从玻璃碴里拾回已经残破的面具，连日来所堆积的不满全都指向了面前的那个人。

"你又发什么疯？"

"我发什么疯不如问问你自己吧。不要以为我看不出你那点儿心思来。你不就是想着'学姐'吗？那你去找她啊！这儿留不住你，也没人留你！"

"你……"修亚长久地盯着眼前的这个人，火气竟奇迹般地一点儿一点儿被克制了下来，"你想太多了，我怎么会喜欢她呢？"

仿佛什么都没有发生过，他走过去亲了亲女生的额头，好像完全没有看到那张遍布了狰狞的疤痕的脸，被愤怒与仇恨，以及依旧在继续的谩骂扭曲得更加恐怖。

他撩起袖子，露出手腕上的黑曜石手链，声音温柔得好像对最深爱的情人在蜜语一般，"对了，还没谢谢你的礼物呢。"

06

小薇中午上线的时候，聊天频道里正有人在刷屏，"组队 PK，只杀天羽公子。"找了几个朋友一问，原来昨天天羽公子在 PK 场通宵杀了一晚上，和一些人结了梁子。

于是偷偷密他，"要我帮忙吗？"

很快就敲过来一个笑脸，"不用，你们都不在，根本没高手，我已经快独孤求败了。"

小薇点出系统的 PK 排行榜，天羽公子的积分居然已经是前三名了，这家伙一天到底有多长时间在线上啊？明明是最近才在江湖里成名的家伙。

留心起来之后，小薇就发现那位神秘的天羽公子每天在线的时间都很长。不清楚他现实中是做什么的，只是感觉年纪应该是和她与夏汐差不多。

她不知道天羽公子为什么喜欢她，但他对她真的很好。尤其是圣诞节之后，她想要什么，他都会想尽办法费尽一切心思为她取来。

就连夏汐也做不到这样。

"你真是一个怪人。"

"我只是想对你好而已，不好吗？"

孩子般撒娇的口吻，常常让电脑面前的小薇也不知道如何作答。和天羽聊完下线，又看了会儿这学期的课本。眼看就要过年了，即使是 S 大这样以恋爱圣地著称学习氛围并不浓厚的学校，也都开始了备考的工作。

小薇还是每天都去看夏汐，只是绝口不提和他一起住的事。礼物想来想去还是选了限量版的三叶草跑鞋，虽然价钱对于还是学生的她来说实在是贵得吓人，不过既然是特别的礼物，总是不能随便应付过去的，就当是对骗了汐仔的补偿好了。

小薇掏出后面三个月所有的零花钱付账的时候是这么说服自己的。

与此同时，夏汐正坐在电脑面前和媛媛聊天。

"喂？特别的圣诞礼物还满意不？"对方发过来一个奸笑的表情。

"我还没有收到呢。"

"她还没说？"

"说什么？"

"就是说要搬来和你一起住啊。"

"哎？"夏汐有些惊讶，听小薇的口气，特别的圣诞礼物并不像是这么一回事。可是为什么……"小薇告诉你的？"

"是啊是啊，大概之前你生病她不好提。我可事先恭喜你了啊。"

对于媛媛的恭喜，夏汐只能以苦笑来面对。为什么小薇改变主意呢？联想到小薇前些天有些与往常不同的表现，难道和圣诞舞会有关？

"对了，圣诞舞会，小薇有没有发生什么事啊？"

"我没去，不大清楚了，只是好像有人看到她和伊修亚有点儿不开心。"

"这样啊……"再次听到伊修亚的名字，夏汐觉得心里那根一直以来都绷得紧紧的弦突然再次被收紧，然后"啪"地断裂了开来。

"放心吧，汐仔，胜利就在眼前。"

就在眼前吗？夏汐摇了摇头，恐怕未必是。

07

按下门铃的时候，小薇就觉得有点儿不寻常，每次知道自己要来的时候，夏汐总会在铃响第一声就把门打开，而今天都响了四五声了，没有人来应门。不禁让她有些担心，不是又病发了吧？忍不住用力敲起门来。

敲到第十下的时候，门被有些粗暴地打开了。

"别敲了，小姐。"门口的夏汐一脸阴郁的表情，小薇也不知道他在气什么，撅起嘴，对他今天的异常深感不满。

"怎么才来开门？"

"礼物。"

"什么礼物？"

"圣诞礼物给我。"

"就为了这个啊。"以为夏汐是因为一直没有给他礼物而生气的小薇，从纸袋里掏出之前才买的限量球鞋的盒子递给夏汐，"给你。"

没想到夏汐看也没看就丢在了地上。

"你今天怎么了？吃错药了？"小薇也来气了。

"不是这个。"

"就只有这个没别的了，不喜欢还给我好了，乱丢算什么？"她从地上把盒子拾起来，夏汐不心疼，她可心疼着呢，她三个月的零花钱啊。

"我要你原本要送给我的礼物。"

"啊……哪有这种东西。"这句话说得有些心虚，也猜不透夏汐是怎么知道的，但是这种时候，按小薇的性格也一向是嘴硬到底的。

"你要是改变主意了也没关系，但是我不希望你骗我。"

夏汐直直地看进小薇的眼睛里，像是要把她看穿了一般，语气里有少见的坚持。

"真的没有这种东西啦。"心底有些犹豫，可是时间上却容不得什么犹豫，话还是没有受控制地就说出了口，只是下一秒听到男生的回答时就后悔了。

"小薇，我不希望你骗我，更不希望你因为那个人骗我。那会让我觉得过去的四年，不，是整整十四年，我都只是一个一相情愿的傻子而已。"男生的话一字一顿，每个字都仿佛重重地在捶打着小薇的心脏。

言毕，夏汐关上房门，只留下小薇拿着球鞋盒，呆呆地站在门外，反复咀嚼着男生最后的那句话。

一时间江湖风起云涌，快剑西夏大开杀戒一夜连挑江湖七大门派，长伴身边的红颜知己妙薇仙子却一直没有出现过。

只有对手阿修罗在一旁感叹："痴情的男人啊……"

08

考试完毕，就像是脱了一层皮。这段时间小薇没有再和夏汐联系，并不是不想联系，只是她发觉自己已经亏欠了那个男生太多的东西，不知道要怎么样才能还清。

还记得小时候吵架，无论是谁的错大都是夏汐先来找她和好的，如今也该轮到她了吧。

可却不知道要怎么开口。

媛媛问起小薇假期打算去哪儿，小薇突然想起了 A 城——她出生的地方。

　　因为出生在那里，她才能遇到夏汐和芭儿；也是因为生长在那里，她才能和聂天逸在中学的楼顶相遇。

　　在那里第一次喜欢上一个人，体验到了恋爱带来的甜蜜和伤害。

　　又在经历了太多的事情之后匆忙地逃离了那片土地。

　　同时失去了爱的人和最好的朋友。

　　而如今她想再回那个地方看一看，想要见一见近四年都没有见面的芭儿，想要再看一看当时视为牢笼的学校。

　　自己无法甩掉的过去只有去了那里才能找到答案吧，只有去了那里才能整理好自己现在的心情。

　　可以重新出发。

　　而寂寞的单身公寓里，夏汐看着手里捏着的两张回 A 城的车票，最终将其中的一张丢入纸篓里。他想要送出的圣诞礼物，已经注定变成一个人的旅途了。

　　也好，也许这样他才能重新振作起来。

　　心情像气球般不断膨胀扩大、充满，然后起飞。

　　城市的不同角落里，有相同的声音：

　　"去 A 城吧。"

无言歌

无言歌（Song without Words），它的旋律犹如歌曲，用音型伴奏，但却无歌词，不供歌唱之用，是抒情歌曲般的器乐小品。

01

从 S 城到 A 城坐火车需要半天的时间，并不算很远。但尽管如此，小薇却四年都没有回去过。

一个原因是她家搬离了 A 城，而另一个则是怕见到某些以前的朋友。

比如说芭儿，比如聂天逸。

回到 A 城的事没有和任何人说，其实也根本没有任何可说的人，翻出许多年前的号码簿，破天荒地主动打了一次电话给芭儿，得到的回应却是"您拨打的电话是空号"。

太久没打，连电话号码都搞错了吗?

小薇越来越看不起自己了，早应该和芭儿取得联系的。

出了火车站，按照记忆坐上了公共汽车。

汽车一路颠簸着，记忆里那些黑色柏油压成的道路还是它们原本的样子。

一刻钟的工夫就到达了学校门口，此时的西中相当安静，还是上课时间，只有操场上隐约有声音传来——是在上体育课。

小薇下了车，和校门口的警卫打了个招呼，便轻松地被放了进去。

警卫伯伯还笑着说："啊，我记得你，以前常和一个男生一起逃课的。"

小薇也对门口的伯伯笑了笑，笑容有些苦涩。

看来自己的高中时代就给人留下了这样的印象呢，都是聂天逸那个家伙惹的祸。

没有在别的地方多做逗留，只是一口气来到了实验楼的楼顶。传说中的禁地还是四年前的样子，只是似乎更加萧条了。少了他们更加不会有人来这种地方了吧。小薇轻轻抚摸着她曾经坐在上面肆无忌惮地高唱《黄河大合唱》的管道，斑驳的外表摩挲着掌心，疼痛得令人怀念。

风依旧统治着这块空中的秘密基地，突然有一片冰凉被送到了脸颊上，柔柔的还带着些许芬芳。小薇伸手将那样东西拿到眼前，竟然是一片花瓣。她向花瓣飘来的方向寻了过去，在通往天台的楼梯下，发现了一捧花束。花束还很新鲜，显然放上去并没有多久。香气在风里扩散着，而花朵则是随风越来越凌乱起来。

是谁放的呢？

天逸、夏汐、芭儿？

有人先她一步已经来过这里。

小薇想到这里便急匆匆地下了楼，到门口询问老伯。

老伯想了一会儿说，是有一个男生来过，但在小薇来之前就已经离开了。

至于样子，老伯也没有看得很仔细，只是记得他的笑容很好看。

02

小薇再次坐上了汽车，只是这次的目标变成了秀中——她初中的学校。

告别秀中的时间更加久远，七年甚至更久。

到达秀中门口的时候发现学校里很热闹，自己居然赶上了校庆的活动。还记得在西中的时候也经历过一次校庆，只是那时候的她还没有太多的忧虑和烦恼。

因为校庆的文艺表演，所有的学生和师长都坐在主席台之下。想在人群中找一找有没有自己熟悉的师长，找到师长的同时，却又发现两张熟悉的脸庞。

夏爸爸和夏妈妈。

夏爸爸和夏妈妈她自小也见过很多次了。夏爸爸笑起来的时候和夏汐很像，虽然眼角的皱纹会堆积起来，但是却让人有一种莫名的亲切感。而夏妈妈的脸颊很瘦，平时总是一副严肃的样子。但是每次他们闯了祸，最终还是夏妈妈站在他们一边劝阻住火冒三丈的夏爸爸。

总觉得每次看到他们，就能了解总是包裹在夏汐身边从来不会让人感到孤单的温度是从何而来的。

四年过去了，夏爸爸和夏妈妈却似乎也还是记忆里的样子，没有多大的变化。

不知道为什么胸口就涌起了一股悸动，像是在这个故地遇到了唯一的两个亲人。小薇不由自主地挤进人群里去，在人流的推搡之下，好不容易才移动到了离夏爸爸、夏妈妈较近的地方。

"小薇？"夏妈妈首先认出了她，她张开双臂，将小薇从拥挤的人流中隔离开，给她温暖的亲人式的拥抱。"你怎么一个人？不是和小汐一起回来的吗？"

"啊……"一时没有反应过来，听夏妈妈的意思，自己应该是和汐仔一起来的，还好小薇脑子转得快，马上又接上了话，"是我想一个人先到处看看。"

"那小子，也不知道要多照顾女孩子啊。"夏爸爸在旁边发表着对儿子的不满。

"没事，是我自己想一个人走走的。"

"小薇，让我好好看看，已经是大姑娘了。还记得那个时候你到我们家来，还只是个小娃娃呢。"夏妈妈拉着小薇的手，把她从头看到了脚。因为是熟识的长辈，小薇倒也没感觉到什么不自在。只是夏妈妈倒渐渐红了眼眶，语速也慢了下来。

"看日食那天，小汐带你回来，我就知道我们家傻儿子是喜欢上你了，本来一直担心他傻乎乎地追不到你，现在我可放心了。"

因为夏妈妈的误会，脸有些稍稍变热，记忆也被牵引着回到了儿时印象深刻的那天。

那的确是个特别的日子。

那阵子日食作为一个重要的天文现象，还没有到来就被各大媒体杂志争相报道，甚至连街上的小摊贩也开始贩卖专门用来看日食的眼镜。当然，也激起了小薇他们的兴趣，和几个伙伴约好了日食那天要留在学校里一起观看。

窝在学校后面的树丛中，十二万分地期待日食的开始。
只是没想到传说中的日食一下就夺走了所有的光亮，让小薇他们陷入了一场恐慌。
其实也只是短短几分钟的时间，瞬间就因为缺少了光明而变得那么漫长。
黑暗中，牵住了男生的手，就死死地拉住不肯放开了。

温热的，像是黑暗里唯一的光。
一路牵引着她，又回到了有光亮的世界。

还记得那时候一个小小的插曲。
行走在黑暗中，不远处一对如同祖母绿宝石般色泽的幽绿光芒闪烁了一下，把小薇吓了一跳。
"小汐……"小薇拉了拉夏汐的衣角。
"怎么了？"男生的声音在黑暗中带来的是无尽的安全感。
那对绿色的宝石，反射着一丝诡异的光泽，又向他们靠近了些。"呀，小汐，那是什么啊？"小薇整个人被吓得趴到了夏汐的身上。
"别怕，我会保护你的。"终于注意到那双绿绿的眼睛的男生显然也不知道那是什么，停止了前进的脚步，却还尽力用温柔的声音安抚着小薇。
当光明重新回到大地，他们眼前那对诡异的绿光不见了，却是一只黑白斑纹的小花猫，小小的、软软的，歪着脑袋望着他们。
"原来是猫啊，呀！"终于放下心的小薇，长舒了口气，忽然发现自己整个人都挂在了夏汐的身上，慌忙地从夏汐身上往下跳，却不小心踩到地上的石头，崴了脚。
想要再往前走的时候，却发现已经完全站不起来了。

小薇无奈地看着夏汐，夏汐没有说什么，只是转过身，指了指自己的背。
"我背你吧。"
那一个并不高大的背影就此在小薇的心里定格成了一个永恒的画面。在过去了很多年以后，似乎还有那个声音在耳边回响，"我背你吧。"

那时候的小汐，就好像她的勇者。

许多年后的某一天，她看着正在操作着游戏里的角色拯救公主的他说，有一个瞬间的你就像是这个拿着宝剑的家伙，在我的心里无所不能。

03

离开了秀中，告别了夏爸爸和夏妈妈，小薇才知道，原来夏汐也已经回到了这个他们共同长大的地方。

本该两个人一起来的。

小薇心里对于自己没有早点儿去找夏汐还是有些懊恼的。

那束花应该是汐仔放那儿的吧，去除了西中和秀中，下一个他最有可能出现的地方应该是哪里呢？

海边？或者芭儿家？

想来想去决定先到芭儿家走一趟。因为芭儿在高中的时候搬过一次家，小薇七拐八拐地差点儿迷了路，勉强地通过院子中种植的植物辨认出了芭儿家的位置。

只有芭儿会在自家的院子里种满那么多的山茶花，据她说，山茶花的花语是：可爱、谦让、理想的爱、了不起的魅力。

就像芭儿她自己一样，是小薇从小到大羡慕的和追赶着的目标。

只是那样的芭儿也会那么奋不顾身地爱上了一个人，又因为不得已的原因和他分开。而自己又不巧合地在那样的时机，在什么也不知道的情况下插在了他们中间。

现在想来并不是谁的错，只是在错误的时机遇到了正确的人。

在芭儿家门口踱来踱去了几分钟，小薇终于下定了决心。哈了一口暖气在手心，才按下了门铃。

等了很久才有人来应门，有些年久失修的铁门被颤颤巍巍地打开，是一个小薇从没有见过的老妇人。

"你找哪位？"阿婆的声音像是从幽远的地方传来，小薇抑制住心下的不安，问道：

"这家的女主人是不是姓刘？"那是芭儿妈妈的姓。

"哦。你说小刘啊。早就搬走了，怎么，你找她？"阿婆开始上下打量小薇。

"嗯，我是她女儿的同学，想找她女儿。"

"找她女儿啊……我给你去拿地址啊……"老太太边转身回屋，却又像是想到了什么恐怖的事，猛地摇了摇头。嘴里啧啧地感叹："那个小姑娘也真可怜，年纪轻轻就……"

后半截小薇没有听清，但是心里还是隐约起了不好的预感，莫非芭儿和天逸分手之后遇到了什么变故，才导致她和妈妈一起搬走了吗？

但是她每每给她打电话又听不出什么端倪，但是芭儿原本就是这样的人，即使有了不幸和不愉快也不会说出来给别人听。想到这里小薇就更加担心了，恨不得芭儿马上打一个电话给她，好问个清楚。

但是转念一想芭儿说收到了她寄到的礼物。她明明写的是这里的地址，芭儿又是怎么收到的呢？难道说芭儿之前电话里说的一切都是在骗人？

想到这里，老妇人正好拿了地址出来，小薇忍不住问道："之前这里有没有收到S城寄来的包裹。"

阿婆想了一会儿回答："好像是有一个包裹，我看写的是小刘的女儿收就给小刘转过去了。"

听到阿婆的话，小薇这才缓了一口气。接过地址和电话向阿婆道了谢，便准备离开。临走的时候才回想起自己到这里来的另一个目的，转身又问阿婆："之前有一个男孩子来过吗？"

"有啊，不过只是到院子里看了看就走了。"阿婆咧嘴一笑，"也是你朋友啊？那个男孩子啊，笑起来老漂亮的哦。"

04

几个地方走下来，太阳已经转了几个角度，落在靠近地平线的地方。

对莫小薇来说，A城只剩下最后一个值得怀念的地方，便是她、芭儿和夏汐共同发现的海滩。

海滩在一个僻静的地方，很美却没有什么人会去。小时候听说是一个大富翁在附近盖了别墅，所以把海滩也圈进了自己的势力范围，整理得十分仔细。还记得那天三个人说要搞离家出走，便一起从家里跑出来，不知不觉中发现了这片神秘的无人海滩，便不想离开了。

还为海滩的命名吵个不停。

"叫汐之滩吧。"

"切～难听，照我说应该叫薇之海岸。"

"好了，你们两个，少自恋了。这里是我们发现的神秘海岸，所以应该叫海岸幻境才对。"

此时，小薇望着眼前的景色，回想着过去，仿佛是应了当年芭儿最终的命名——海岸幻境。这片回忆里的海滩，如今真的好像幻境一样，已然消失了，只剩下一片破败的工地。

问了一个偶尔经过的工人，原来这里附近的海岸要修建一座码头，原本清净的海滩变成了水泥和石灰堆置地。

果然，四年了，尽管学校没变，楼顶的天台没变，熟悉的面孔没有变，但还是有什么会改变的。这片蕴涵了太多回忆的地方，此时已经无法从外面看出它的本来面貌了。

"不知道，那块石头还在不在……"小薇走进已然变成了工地的海滩，开始找寻那块记录了儿时约定的石头。

"要把我们的名字和海岸幻境都刻上去哦。"

"怎么刻啊，又没刀，这可是石头欸。"

"用贝壳咯。"

"刻不上的。"

"汐仔，你有没有听说过'只要功夫深铁杵磨成针'啊。"

"我只听过后宫佳丽三千人，铁杵磨成绣花针。"

"……"

"芭儿芭儿，我找到好东西哦。你看是钥匙呢，用这个就可以刻上了。"

"还是小薇可靠，汐仔，你就哪儿凉快哪儿待着去吧。"

也不知道用了多久，最终在一堆水泥和红砖的包围中，小薇找到了那块常年受到海风的侵蚀愈发斑驳的石头。似乎是受到了某种程度的撞击，那块儿时觉得相当大的石头从中间裂开，碎成了两半。

上面歪歪扭扭刻着的几个字还能勉强地辨认出。

第一行是"海岸幻境"，接下来的一行是"所有人：莫小薇、白尔雅、夏汐"。

只是，"海岸"和"幻境"以及小薇和芭儿、夏汐的名字因为那条裂缝，被分隔在了两边。"莫小薇"三个字孤零零地和"海岸"排在一起。

轻轻抚过那时自己刻下的字迹，"海岸"还在，可是属于他们的幻境已经不复存在了啊。

有些心疼地想要将裂成两半的石头合拢在一起，却完全无可奈何那惊人的重量。指腹触到石块背面的时候有些奇异的触感，竟像是也刻了一些东西。

奇怪，那年他们应该只刻过石头的一面啊。

有些好奇，转到石头的背面，看了一眼便惊呆了。

在厚实坚硬的石块上密密麻麻刻满了她的名字。

莫小薇、莫小薇、莫小薇、莫小薇、莫小薇、莫小薇……

就像有人在不断呼唤着她，倾诉着言语无法表达的爱意。

裂缝处并没有名字断裂的痕迹，显然是在石头裂开之后才刻上去的。

看上去还相当的新。

手指摩挲这新刻下的字迹，小薇心里有一个名字呼之欲出。她站起身，向四周张望，奇迹般地看到了海岸的那一边站着一个熟悉的身影。

"小汐！"

她向男生跑了过去，前所未有过的情感在她的胸口膨胀，仿佛随时会从身体里溢出来。口袋里有什么随着奔跑掉落在沙滩上，她都没有发觉。她一头撞进了夏汐的怀里，叫着他的名字，一如当年他们都还是孩子的时候一样。

"小汐，小汐。"

05

"你不叫我沙仔了？"

"我本来就比较喜欢小沙这个名字。"

男生宠溺地捏了下怀里正在诡辩的女生的脸颊，他不讨厌这种和好方式，虽然突如其来地让他有些措手不及。他只是刚刚到达 A 城这片记忆里的海滩，还来不及为海滩巨大的改变而感叹就迎来了小薇那个几乎要将他推倒的拥抱。

女生投入他怀里的瞬间，他发觉自己对来之前挂心的那些事竟然已经不在乎了。

不在乎她是否又骗了他，也不在乎她是否能忘记那个人。

毕竟现在，她是在他的身边，他有信心，也有耐心，为眼前的女生创造出比过去更好的现在和未来。

"怎么一个人来了？也没和我说一声。"

"你不也是一个人来的。"

"去我家吃饭吧。"

"对了，我今天在秀中还碰到你爸妈了呢。"

声音渐渐远离了那片已经不是海岸的海岸。

而另一个少年，从海岸旁树丛的阴影里走了出来。

他望着他们走远的方向，唇角勾起一个小小的弧度。

该怎么形容那个表情呢？美好而又绝望。

那是一个寂寥的笑容，透明得可以看到其中浓得化不开的悲伤。好像整个世界都失去了原本的颜色，在少年的笑容中变成了一片死寂。

他用手捂住自己的脸，指尖混合着泥土的腥臭和花的香气。纤长的手指因为刚刚与尖锐物体的摩擦，都擦破了皮，严重的地方甚至血肉模糊。

他缓缓地走到女生刚刚经过的地方,拾起那个从小薇口袋里掉出的白色的贝壳——那个在传说里可以承载回忆的贝壳。

贝壳紧紧地捏在手心里，苦涩的感觉从口腔里蔓延开来，从喉咙渗透至胸臆，最终变成压抑的呜咽。

但是却没有眼泪。

他没有这个权利。

他只能把对她的想念一遍又一遍地刻在石头上……

尽管女生追随着他的足迹找到了这里，但是他却始终无法留住那个他最爱的女孩子。

06

回到 S 大，每个人都发现了夏汐和小薇之间的改变。

虽然并没有直接搬到夏汐的公寓，但小薇开始时不时地去给夏汐做饭做菜，偶尔也会留宿在那里。而且她似乎也不再对伊修亚的事情耿耿于怀了，即使是周谨偶尔拿来和她开玩笑，她也不会像以前那样反应激烈了。

发现到他们的改变，大姐自然是由衷地为小薇和夏汐感到高兴；媛媛则是在高兴的同时对于自己的真命天子还没有出现多了些酸葡萄的味道，显然还没有察觉到周谨对她的追求；至于周谨还是老样子，总是缠着小薇说她和夏汐旅行期间的八卦。

修亚则是很少遇到，唯一的一次见面也只是匆匆地擦肩而过。从男生低垂的侧脸，感觉到他似乎憔悴了很多。

可是修亚自会有他的女朋友去关心，自己想太多又有什么意思呢，小薇并没有把这件事太过放在心上。

回到江湖，问天羽有没有想她，可是天羽似乎完全没有感觉到她离开了那么久，一问其他人才知道，天羽前段时间也没有上线。

"你前段时间都去哪儿了？"

"去找一个人。"

"什么人？"

"我喜欢的人。"

原来天羽在现实里也有喜欢的女孩子啊，小薇有些感叹。

"那你干吗把时间花在我身上，去追她好了。"

"我也喜欢你啊，小薇。"带着面具的少年亲昵地搂着妙薇。什么时候呢，天羽竟然亲密地改叫她为小薇了？

不妙，她好像看到西夏冲过来了……

在开始与夏汐的甜蜜生活的同时，小薇又有了新的计划。

她要去找芭儿，既然她已经完全地放下了过去，没有了这条沟壑，那么就可以和芭儿重归于好了吧。

打定主意之后就往阿婆给的号码打了一个电话。等待音响了三声，便被接了起来。

"喂，找哪位？"一个中年妇女的声音，大概是芭儿妈妈吧，时间隔了太久小薇也听不大出来。她焦虑不安地拿着听筒，思考着换成芭儿接了之后到底要说些什么。

似乎什么都没有想好，就已经拨出了电话了。

"请问白尔雅在家吗？"

"你是哪位？"

"我是她的中学同学莫小薇。"

"我已经和她断绝母女关系了，关于她的事情我不清楚。"

嘟嘟的忙音宣告着电话就这样突然被挂断了，小薇不解地握着听筒不知道芭儿身上到底发生了什么事。

"怎么了？一副愁眉苦脸的样子？"

"没什么，先吃饭吧。"

小薇放下手里的碗筷，暂时搁下在心里盘旋了一天的强烈的不安。比起过去她更想要珍惜现在，珍惜每一分每一秒和爱的人在一起的时间，而不是总去让那些无关的事占据了他们的生活。

07

另一间房门半掩的房间里，书桌中央拉开的抽屉里静静地躺着白色的贝壳。书桌前少年的背影显得有些单薄瑟立。低垂下的头，额前的发丝挡住了他的表情。

窗外的阳光灿烂得有些刺眼，穿过窗棂挥洒在书桌上，在贝壳上折射出特有的莹彩光泽，像是少女晶莹的泪珠。那天它也是这样静静地躺在那片拥有他们共同回忆的海滩上。她就是这样丢下了它和那个人离开了。

一声叹息，少年修长的食指从光芒处划过，仿佛这样，便可以把泪珠拭去。

虚掩的门外，一张疤痕遍布的脸上写满了愤恨，手中托着的水果托盘有些微微发颤。

"修亚，吃点儿水果吧。"

深吸一口气，敛去脸上的表情，女生推门而入。修亚仿若惊醒般，慌忙将抽屉合上，急转过来的脸上有些慌乱。

"是什么东西啊？"女生做出饶有兴趣的样子。

"没什么，我在整理罢了。"

"你哪会什么整理啊，家里从来都是我收拾的，你只会越收越乱，到时候又找不到东西在哪里了，还是我来吧。"说着就伸手去拉抽屉。

"不用了，都是我平时的学习资料，放在这里看书方便，没什么乱的，你别管了。"修亚皱了皱眉头，语气微微有些不耐烦，身体向前倾，想挡住女生的手。

"哼，资料，我倒要看看，你都在学什么！"女生硬是不顾修亚，拉开了抽屉，用力过猛之下整个抽屉翻倒下来。

白色的贝壳在地上略略弹跳，落在两人之间。

"这就是你一天到晚看的资料！"她低头瞪视着贝壳，声音随着身体的颤抖有些不稳，猛然抬头，目光灼烧般瞪向修亚。猛地抓起桌上的水果叉向贝壳戳去。

"嘎"的一声，脆弱的贝壳从中间裂成两半。

"你这是想做什么！"修亚冲上去想捡起破碎的贝壳，还没有触到就被女生一脚踩了上去。

"不过是个贝壳罢了，就舍不得了？要是换了这个贝壳的主人呢？！"

"你……不要太过分了。原来的你不是这样的！"

"哈，哈，原来的我？原来的你呢？又是什么样子，不要忘记你答应过我什么，是你自己要留在我身边的！"

女生瘦弱的手因为用力而突起青色的血管，脚尖却仍旧死死碾动着，不愿放过脚下的贝壳。头发有些散乱地披在脸上，原本就狰狞的面容扭曲得更加恐怖。修亚望着她，像是全身力气忽然消失，愣愣地松开了手，女生也因为反作用力一下向后倒去，两人一起跌坐在一堆狼藉中。

沉默在空气里蔓延，几乎将人逼得快要窒息了。

突然之间，女生抱住膝盖，把头埋在两腿间，开始微微地啜泣，全身都在颤抖。

那压抑的哭声割破了沉寂，直直地刺入了修亚的心里。修亚依旧呆愣地望着她，慢慢地，脸上逐渐被痛苦、无奈与怜惜占据。他跪坐在她面前，将她圈入自己的怀里。她却猛地挣脱开，将他往反方向推去。脊背重重地撞在书桌一角，锥心刺骨地疼起来。目光却依旧被地上那被踩得近乎于粉末的贝壳吸引。

　　"我们怎么会变成这样呢？"

塔兰台拉

　　塔兰台拉（Tanantella），原为意大利南部的一种民间舞曲。据传，被一种毒蜘蛛"塔兰图拉"（Tarantula）咬伤的人，必须剧烈跳舞始能解毒，塔兰台拉舞即起源于此说。

01

当我们回忆起过去的时候。
就会发现其实幸福的光点总是一闪即逝。

02

假期结束，天气渐渐炎热了起来。生活似乎又回归了正常的轨道，不同的只是那个总在身边的青梅竹马经过了十五年的努力终于"转正"成了男朋友。
就这样，转眼又到了七月。

夏汐再次因为阑尾炎入院挂水，医生建议他还是用手术解决掉所有的问题。对此小薇倒不是特别担心，因为她的妈妈也做过阑尾切除手术。

"宝贝，要从我身上切掉一部分耶。"
"反正切掉的是不好的东西。"

"哎，你就放心我？舍得把我丢在这种遍地都是制服诱惑的地方？"

"少来，你敢花心！对了，我和你商量一件事，周谨说要搞什么登山团……"

周谨为了追媛媛也算是花了不少心思，可惜媛媛虽然已经修炼成了恋爱达人，但是对于身边的人却根本没有那根筋，完全没意识到周谨要追她。周谨听说媛媛特别喜欢户外活动才策划了这个登山团，只是小薇觉得没必要把他们一帮子人都跟着拖下水。

无奈那个家伙苦苦抓着当年欠他的那点儿人情不放，小薇也没有办法。最终大姐因为空手道的比赛缺席，而夏汐也是因为需要挂水不能来参加。

登山团最后剩下了小薇、媛媛、周谨和修亚四人。

周谨要爬的山自然不在 S 城，通过旅行社买了打折机票到了地头。小薇发觉周谨还真的很擅长选择冷门的旅游地点，之前的 Z 城也是，现在的 C 城也是，都可以算得上是人烟稀少的旅游地。

上了山，才发觉这里虽然人少，山体却陡峭秀丽。可能正是因为游客少的缘故，几乎保留了它原本的自然面貌。在这样的山里，小薇觉得自己有点儿能体会老苏的"不识庐山真面目，只缘身在此山中"是一种什么样的意境了。

可是，爬山终究是个体力活，小薇一会儿就没了体力，只能望着同伴们冲在前面，自己揉着酸痛的膝盖休息。

"怎么了？"修亚见她没有跟上，便放慢了脚步等她。

"好像是扭到膝盖了。"小薇扯出一个无奈的笑容。听周谨说最近修亚的情绪一直很不稳定，所以就算 MM 泡不成，可以当做是带他出来散散心。不过眼前的修亚显然比她要惬意很多，至少大半天了也没有露出一丝疲态。

"我拉着你走吧。"修亚伸出了一只手，"你这样走下去，恐怕天黑前都到不了山腰的旅馆了。"

看着面前伸出的手并不是没有犹豫的。

但是男生说的显然是事实，自己这样肯定是会拖大家的后腿，天黑前赶不到旅馆，可就要在这样完全没有路灯的山里尝试着走夜路了，她可不想第一次登山就经历这种体验。况且只是拉她，又不是背她什么的，太过害臊了也只是显得自己矫情。

想到这里，小薇一把拉住男生的手。

只是那个瞬间，过去的影子又仿佛叠加在了自己的身上，如同电流般从掌心接触的地方穿过。

"怎么了？"感觉到小薇突然又停住脚步，修亚回过头问。

"没什么，只是觉得好像起风了。"

没有再多话，两个人便一前一后继续向山上前进。

03

莫小薇现在相当后悔没有多看一点儿野外求生措施，不过怎么会想到难得旅游一次，就碰上这种事。

被台风困在了山里进退不得，下得昏天黑地的暴风雨过后就是恐怖的泥石流。

这次她也算见识到了什么是真正的泥石流——混浊的流体仿佛张牙舞爪的灰土色八头大蛇一般，前推后拥，奔腾咆哮而下。整个地面都随着这些巨蛇的来临而震动了起来，声响在山谷里回荡，震耳欲聋。

心脏似乎也随着轰鸣起来，不安的感觉跳动在脉搏里。

不幸中的万幸是他们被困的地方暂时还是安全的。只是因为她走得太慢了，和修亚一起被困在了山的一边，断了与周谨他们的联络。

手机没有信号，山路也完全被掩盖了。

和修亚一起在不大的山洞里窝着，等着暴风雨过去，夜晚的时候泥石流终于完全平静了下来。可两人却都合不了眼，修亚望着洞外明朗的月色静静地发呆，而小薇靠在他的肩上，被身体和精神的双重疲惫折磨着。

一夜无话。

第二天从山洞出来的时候，他们两个也已经完全找不到回去的方向了。

在这样的状态下，只能彼此安慰救援很快就能来到，不断摸索着下山可行的方法，几乎每天都搞得精疲力竭。带的食物原本就不多，很快也就耗尽见底了。

小薇每天都会检查手机有没有信号，可是最后一格电池很快就消失在了屏幕上。

终于连背包里最后一块面包都被吃完了，小薇和修亚仰面躺在草丛里，望着无尽的星空都不知道该说什么好。疲劳，饥饿，脏，累，臭，在他们的眼睛里已经是越来越不重要的东西，剩下的只是对生命的渴望。

就这样平躺着，似乎度过了一整个世纪的时间，在一片寂静之中，小薇听到了修亚的声音。

"我确实曾经用过聂天逸这个名字。"

尽管并不是没有心理准备，心脏还是在那一瞬间停滞了一拍，小薇扭过头，望着眼前这个曾经被她怀疑过很多次，直到今天才亲口向她袒露真相的男生，一时百感交集，却又很快平静了下来。

"是不是不到这个时候，你一辈子都不会对我承认？"

"也许吧。"

修亚苦涩地笑了笑，小薇不知道，还有一些事情即使到了这个时候，他也不能对小薇说。

而此刻，小薇也不想去责怪任何人了。她只是希望明天能看到救援队，能发现下山的路，希望他们两个人都能好好地活下去。

深蓝的天幕中一颗星星亮了一亮又暗了下去。

04

"天逸你现在有了新的女朋友了对吗？"

"嗯。"天逸艰难地点了点头，"她为我吃过很多苦。"

两个人就这样望着山上过于晴朗的夜空，有一句没一句地聊着最近几年的生活，小薇才知道天逸早就和母亲分开，被伊姓的叔父母领养。休学了两年，也放弃了最喜欢的田径。现在和女友一起住在自己租的公寓里。

她问天逸为什么那时候要丢下芭儿不管。天逸沉思了好久回答道，他从没有想过要丢下芭儿不管，只是……

话没有说完，天逸反问小薇是不是知道芭儿在哪里，现在过着怎样的生活。

小薇说她并不知道，但是，从和她断绝关系的母亲那里，她隐约地感到芭儿过得并不好。

山上的夜晚似乎越来越冷，小薇睡觉的时候总是把自己蜷缩成一团，但依旧常常会被冻醒。天逸把自己的衣服脱下来包裹在小薇身上，就这样搂着她入睡。见到已经睡着的女生因为寒冷又往自己的怀里缩了一缩，天逸不禁有些感叹。

"为什么要到了这种情况，我才能毫无顾忌地拥抱你呢？"他拥紧怀里的女生，"如果能这样什么都不用想，一直和你在一起就好了。"

即便是无法获救似乎也无所谓了。

05

救援的队伍出现在两人视野之中的时候，小薇的神志已经有些不清楚了。她只是感觉耳边有嘈杂的人声，感到有人想要夺走一直包围在她身边的温度。

伸出手想要紧紧抓住那仅有的温暖。

然后在迷迷糊糊中感到自己被人抬了起来，隐约听到有很多人的声音。

"两个都还有救。"

"男孩子情况有些危险。"

"又怎么了？"

"小姑娘拉着男孩子不放手。"

"掰开啊！"

"就是很难掰开啊，也不知道哪儿来的那么大的力气。"

06

小薇很感谢上天又让她回到了学校。

那次山难之后媛媛居然答应了和周谨交往，而小薇和修亚的关系也再次变得有些微妙起来，以至于小薇都尽量避免与他的碰面。

危难的时候，修亚给予小薇的关怀是不加掩饰的、真实的，也正是她所最需要的。即使是最后的时刻，修亚也依旧把更多的温暖和生的机会都让给了她。

说没有一丝感动是假的，但错过的始终还是错过了。

对小薇来说，那些日子只会成为铭刻在记忆里的一段难忘经历，在他们行走在完全不同的人生路上的时候，变成一道美丽的风景，然后渐渐被抛在身后。

也许还会不舍，会回头张望，可是人生却不能倒退和重来。

小薇忐忑不安地站在修亚家的门口，捏着手里的黑曜石手链。

据说是昏迷的时候她拉着修亚的手腕不放，被救援人员分开时一起从手腕上带下来的。

总觉得这副手链有些眼熟，但又一时想不起在哪里看见过。

修亚打开门看到是小薇有些吃惊，但也掩饰不了眼底的欣喜。

小薇说明了来意，将黑色手链交还给了男生，便急着想要告辞。害怕在这样的局面下面对修亚，怕与修亚的女友见面，在她确认了男生就是聂天逸之后，很多事情就不一样了。

可是就在她打算离开的时候门口突然有一个声音响起。

有种久违的熟悉感。

转过头，门口微笑站着的，竟然就是那天她在 Z 城遇到的那个和她抢手链的女生。

脸上狰狞的疤痕随着微笑拧在了一起。

触目惊心。

07

你见过比黑暗更深的黑暗吗？

那种颜色隐藏在人的心里。

在你没有察觉的时候晕染开来，覆盖了整个世界。

08

"你怎么了？你不是一向不喜欢见人吗？"

小薇离开之后修亚一直阴着一张脸，他望着面前笑容满面的女生，第一次发觉自己竟然完全不了解她。

"怎么了，怕我吓着她啊？哈哈，也是，你看她刚刚落荒而逃的样子。"女生夸张地笑着，似乎真的在说一件与她无关的极其好笑的事。

"我没有这个意思。"

"算了吧，你是不是后悔没有和她一起死在山上啊？居然还要活着回来每天面对我这个丑八怪。"女生的语调变得异常尖利，她用手指顶着修亚的胸口。但是刺痛修亚的并不是手指而是她话语里借着伤害自己而伤害他的双刃的剑，他一下子就觉得疲惫起来。

"我不想和你继续这个话题。"

修亚推开女生，回到自己房间，反锁上房门。

剩下女生独自在厅里抚摸着自己的脸颊，看着修亚的背影消失在门后，鼻孔里发出一声冷哼。

"伊修亚啊，伊修亚，你要记得你还是叫伊修亚。别搞错自己的身份了。"

09

从修亚家逃开，小薇突然非常想念芭儿。

这位四年没见的死党，此时到底在哪里，在做些什么呢？

又打了几个电话过去，只要听说是找芭儿，通通都被对方挂断。

小薇只能再次拿出那时候要来的地址，思索了一会儿便毅然地打车到了长途汽车站。

几个小时的车程之后，终于在 M 镇的某条不起眼的街道上找到了一家卖杂货的小店。

起初小薇有些不敢相信自己的眼睛，当年在大学里当教授的芭儿的母亲，居然是这家小杂货铺的老板娘。

走进杂货铺，几个当地的中年妇女正在叫芭儿的妈妈晚上一起搓麻将。看到那位曾经的教授一口答应，小薇实在想象不出当年最不屑这些东西的那位阿姨是如何与她们坐在一起"砌高墙，筑长城"的。

她站了没多久，芭儿的母亲就注意到了她。不过也没有多招呼，只是走过来问："找芭儿？"

小薇点了点头。

随后，老板娘就随便从茶几上撕下一张台历，写下一串号码。

"她的电话号码，你想联系就联系吧。"将号码递给小薇，老板娘站到一边点了一根烟,似乎是在对小薇说,又似乎是在自言自语般地叹道,"不过,是不是太晚了点儿?"

10

无法想象,这四年来究竟什么降临在芭儿的身上,才变成如今的局面。而面对蓬着头在柜台后算账的老板娘,她也什么都问不出口。

但总算是有了收获,得到了芭儿的号码。坐在回程的汽车上,给夏汐打了电话,夏汐说手术安排在下个礼拜,让她多去陪陪他。于是也没有和夏汐说芭儿的事,不想他太担心。

回到宿舍就迫不及待按照芭儿妈妈给的号码打了电话过去了,接电话的是一个男生。

声音熟悉得让人觉得有些可怕。

"修亚?"
"小薇?"
"这个号码不是芭儿的吗?"气管好像被什么堵塞了,一口气呼不上来。
"……没错,她是这个号码。"
长久的沉默之后,听到对面听筒里修亚的叹息声,小薇突然觉得整个世界开始疯狂地旋转了起来。

所有的颜色被混合在一起,变成了无法辨认的灰黑。

11

一只蝴蝶在巴西轻拍翅膀,可以导致一个月后德克萨斯州的一场龙卷风。
是不是每个人生命中都有"蝴蝶效应"?

12

一直掩盖着的真相终于以完整的面貌呈现在了小薇眼前。
原来一直以来,天逸和芭儿都没有分开过,只是天逸换了名字叫做修亚。
伊修亚,逸开头,雅结尾。

只是一个巧合，却讽刺般地指向了专属于他们的命运。

小薇转学时，芭儿还没有出院。

她也并不知道，芭儿出院之后，就再没有去过学校。

天逸觉得这件事自己需要负责。

因为是他孩子气的话造成了芭儿的父亲从楼梯上滚落，也是因为他的话，那个被抑郁症折磨了太久的女生才会自己从楼顶跳下去；是因为他没有注意到周围的情况，推倒了围栏，让芭儿陷入危险之中，也是他，在关键的时刻没有拉住女生的手，毁掉了她的人生。

说到底，他才是一切的始作俑者。

他想要补偿她。无关于爱情，只是想补偿她。

只是现在已经不知道自己做的到底是对还是错了。花了两年的时间，才让芭儿重新开口对他说话。他把女生从原本的家里带到 S 城，希望能一边上学一边照顾她。

但是芭儿这几年来的脾气还是越来越怪诞了，眼睛里似乎萌生了一种天逸看不懂的东西。

是仇恨？

不是仇恨，却远比仇恨来得深且黑暗。

13

“你要和她谈谈吗？”

小薇坐在咖啡厅里静静地听修亚说完，只觉得对他说的一切都无法接受。记忆里永远那么骄傲的芭儿，竟会变成那副样子。

走到修亚家门口又退却了，想要离开，却被突然打开的门里伸出的那双手硬拉了进去。手腕上遍布的也是烫伤和疤痕。

脸孔在眼前放大，再放大。

小薇下意识地想要逃避那些在昔日好友脸上跳动着的爬虫般的痕迹。

“芭儿……”

"哈哈，我们第一次在 Z 城重逢的时候，你也是这样的表情，那时候你可是完全没有认出我呢。想不到吧，聂天逸一直以来骗你都是为了和我这么一个丑八怪在一起，哈哈，我都忘记了，你这么忙，又怎么会去想我的事呢。"

14

总感觉自己是浑浑噩噩地离开的。

如果我早些打电话给芭儿是不是就能早点儿发觉了，如果我早点儿能回过头去面对我们的过去，也许，我也能帮到芭儿的。

小薇后悔莫及。

上线之后遇到了天羽，他因为杀了太多的人变成红名了。所有的人都在找他报仇，他对小薇说："我现在好难过。"

小薇虽然不知道他为什么难过，可自己的心情也是一样，她问他："我能帮你吗？"自己的麻烦没法解决，如果能帮到他也不错。

天羽回答："只要让我对你好，我就能稍微好过一些。"

小薇想，天羽也是一个有故事的人吧。只是不知道他的故事是不是也像自己的一样重重地压得他喘不过气来。

因为游戏已经不能缓解她心中的沮丧和懊恼了。

直到被环抱进了一个温暖的怀抱才能稍许获得一些安心。

"宝贝怎么了？"夏汐的声音将小薇的焦躁渐渐地安抚了下来。

"你说，只有我们两个得到幸福，会被允许吗？"

"有什么允许不允许的，我们两个的幸福是我们自己争取来的。"

"嗯……"夏汐的话总是有一种特别的说服力。

只是却依旧无法摆脱心中的梦魇。

无法忘记那位曾经最亲密的好友注视着镜子的疯狂神情。

鲜血沿着镜面的裂缝流下，形成了蜿蜒扭曲的猩红色河流。面孔被河流割裂成数块，好友指着镜子问她，像不像一块劣质拼图。

就这样，梦境里的芭儿被那些不断延伸出的荆棘般的藤条层层包裹，倒钩出的尖刺把她自己和想要接近的人都扎了个遍体鳞伤。

　　"对我这么没有安全感吗？"夏汐轻揉着怀里的女生因为噩梦而皱起的眉头，另一手捏了捏口袋里精致的小盒子，嘴角轻轻扬起了弧度，眼睛里的光彩变得深远夺目起来，像是在憧憬着什么。

　　"手术结束后，就把这个东西给她吧。不知道会不会早了点儿……"

交响诗 ⋯⋯⋯

　　交响诗（Symphonic Poem）一种单乐章的具有描写和叙事、抒情和戏剧性的管弦乐曲，属标题音乐的范畴。

01

"嫁给我吧。"

"无论是顺境或逆境，富裕或贫穷，健康或疾病，快乐或忧愁，我都将完完全全信任你，毫无保留地爱你。"

"你是我的生命，我的爱，我的挚友。"

"我们将成为一个整体，直到死亡把我们分开。"

02

夏汐死于一场几乎没有危险的手术，死亡的原因是术后感染。

原本他是打算在手术后向她求婚的，小薇在他贴身的衣服口袋里发现了那枚刻着他们名字的戒指。

"X . Love V. forever"，没想到，你的 forever 那么短。

追悼会的时候，大姐、媛媛、周谨、修亚和芭儿都来了。

媛媛哭得很厉害，小薇知道她一直觉得夏汐是这个世界上已经绝种的好男人。其他人相比较而言则平静一些，修亚和大姐一直陪在她的身边安慰她。

只有芭儿带着面纱，看不出表情。

小薇只是发呆般地望着放在灵台前的黑白照片，照片里的少年一脸灿烂的笑容。

回想起那天看到他独自静静地沉睡过去，似乎正在做一个美好的梦，让人不忍心去唤醒。

太阳的光芒落在他的半边侧脸上，印上柔软的金色光泽。却有温热的液体坠了下来，落在了少年的脸上，破坏了这幅完美的画面。

赶忙伸手抹去，可是又接连不断地落下新的。

女生手足无措地擦拭着落在男生脸颊上的泪水，男生却依旧安静地睡着。

仿佛什么事情也没有发生。

睡得很沉、很沉。

03

其实你并没有离开，只是沉睡在自己的世界里。

只是以后，无论发生什么都不能唤醒你了吧。

又或许，这只是你和我开的一个玩笑，再等一会儿，你就会突然醒来笑我又上当了，然后帮我擦去眼泪吧。

可半夜惊醒，前一刻还在温柔地帮我擦掉眼泪的你，后一刻就忽然消失在我的面前。

小汐，这都是梦吗？

过去你总埋怨我给你的时间太少，所以你说，要住进我的梦里。

可是小汐，我已经弄不清了，究竟哪一个才是梦。

我睡不着，即使睡过去也只会被噩梦惊醒，一次一次地失去你。

怎么办，小汐，我把你弄丢了。

04

追悼会结束后小薇就收拾了行李，搬进了夏汐以前租的房子。

整个房间因为一段时间没有打扫而略略积了些灰，有些散乱地丢在床上的衣服，可以看出前屋主并不是一个太细心的人。靠床的墙壁，并不牢固地贴着一些美女的海报，轻轻一揭便掉下一张来。

露出的墙面上，贴着一组照片，是他们高中时郊游拍的。有夏汐背着小薇的，也有小薇拿水壶追杀夏汐的，几乎每张两个人都笑得一脸傻气，对着镜头比出"V"的手势。

心里闪过一个念头，小薇迅速地揭开了剩下的海报。等到所有的海报都被揭下来的时候，呈现在小薇面前的是一面密密麻麻贴满了照片的墙壁。

"这个家伙……居然……"

眼睛在光线不足的环境里引起的刺痛感，渐渐强烈起来。湿漉漉的雾气染在眼皮上，小薇抬起手，揉了揉含混的眼角。

除了他们两个的，还有和芭儿的、天逸的，甚至是和大姐、媛媛、周谨还有好多小薇不认识的人。每张照片上的人都是那么开心，似乎要把整个世界里所有的快乐都在这面墙壁上展示出来。

就只有他才做得出来吧，那个似乎生来就与怨恨、仇视无关的男生。

好多好多快乐的瞬间。她几乎能想象出他带着和相片上相同的幸福表情，一张张地把这些照片贴在墙上，随着时间推移渐渐累积，覆盖了整个房间。

这就是他留下的东西吗？就像那个少年本人一样。

永远是把最美好的东西留给她。

恨不得把所有的快乐都给她。

小薇站在回忆之墙面前，久久地无法移动脚步，空气里充满了让人窒息却又会上瘾的熟悉的味道。

05

偶尔还会上线，也会遇到天羽。不过天羽似乎也一直很消沉，

他说，小薇，最近怎么西夏一直都不上线了？连阿修罗都老实了，真没意思。

小薇眼睛一酸，想了想敲了一行字过去，"西夏要开始实习了，比较忙。"

"那你叫他有空也要上来玩玩啊。一定哦。"

"嗯，我会的。"

两个人一时无话，临下线的时候，天羽说，小薇你多上来陪陪我，我什么都没了，只有你了。

小薇望着天羽，心里的话没有说出口。

我又有谁呢？

一个月后，小薇被查出了怀孕。

肚子里的小生命，让她重新燃起了对生活的希望。尽管她还没有做好准备，但是在他肚子里跳动的是另一颗心脏，是那个人生命的延续。所以她想生下这个宝宝。

但同时她也面临着还没有毕业的危机。知道了她怀孕的消息，修亚一直很关心她，但她每次都委婉地拒绝了他的好意，她不想让芭儿和修亚之间再因为她而产生什么矛盾，也不愿意在夏汐刚刚离开以后就变得和其他男生太过亲近。

好在离毕业还有半年不到的时间了，她还可以想想有没有办法瞒过去。

夏汐的遗物她也全部整理收拾完毕了，从中还找到一份给芭儿的礼物，似乎是搞不清楚地址就没有寄出去。稍微考虑了一下，小薇决定还是要给芭儿送去。

她觉得，这也应该是夏汐的愿望。

晚上准备休息的时候接到周谨的电话，说是最近修亚状况很不好，让小薇也帮忙去劝劝。犹豫了一会儿还是动了身，赶到媛媛曾经打工的酒吧里看到修亚的时候，他已经喝醉了。

"他怎么样？"

"就像你看到的一样呗，一直在说个不停。好像是又和女朋友吵架了。"

周谨并不知道修亚的女朋友是已经毁容了的芭儿，但是他知道修亚总是在和女朋友吵架。他每次喝醉了，都会嚷着诸如"你这个女人真是疯了""你怎么变成这样了""你不要这样，小雅"之类的话。

小薇看着这样的修亚，难过地摇了摇头。这样的他，既不像以前那个总是什么都不在乎的天逸，也不像之后那个冷冷的却又异常温柔的修亚。

修亚看到小薇来了，像是并没有认出来她是谁，只是拉着她一直说："我已经受够了那个女人，真的受够了……她怎么不干脆去死。她只知道白天发神经，晚上又一直在客厅里哭，好烦，真的好烦！以前的她从来不哭的，现在却每天都在哭！她为什么要这样……我还对她不够好吗……"

"伊修亚你不是会弹钢琴的嘛，上去露两手啊，她就会重新爱上你了。"吧台旁一个和修亚他们很熟的服务生看到他这副样子忍不住调侃了他几句。

"钢琴吗？"修亚看着自己因为酒精而不停颤抖的手，"我这样也能弹钢琴？"

就好像很多年前校庆活动上，因为紧张而不住发抖的少年，又出现在了小薇的面前。但是和那时不同的是，她不会再像少年时那样什么也不多想就冲动地抱住他了。

她只是叹了口气，注视了一会儿才慢慢地拥住了眼前的少年，轻抚他的脊背。还是和那年相同的动作，但是心情却完全改变了。不再像是爱人，而像是安抚着孩子的母亲。

怀里的修亚渐渐安静了下来，他摇摇晃晃地走到钢琴边，按下第一个琴键，音符断断续续地从琴键里被敲打了出来。台下不断传来人们的嘘声。

魔法不会一再地生效。

最终少年被酒吧的工作人员从钢琴旁拉开。

他绝望地看着四周，这才认出了小薇，然后孩子般地在她的怀里哭了起来。

小薇什么也没说，只是任凭他依靠着。然而这一幕又被另一只眼睛收在眼底，眼睑旁狰狞的疤痕，在幽暗的灯光下不断地跳动。

06

那天小薇带着夏汐给芭儿的礼物，来到了修亚家门外的楼道里，按了门铃等了一会儿却没有人来应门。本以为他们今天不在家就想离开的小薇突然听到门里动静很大的"哐当"一声，像是什么被砸坏了。

门突然被打开，修亚被推了出来。

"你不是整天就想着和那个大肚婆在一起的吗？你就和她在一起好了。"门又"砰"的被关上了。

修亚无奈地看着小薇，问了她来意，两个人坐在楼道里聊了一会儿。

"怎么又吵架了？"

"她说我和她在一起只是浪费彼此的时间。"

"那你觉得呢？"

"我也不知道，每天都在重复着吵架、摔东西，然后又和好这样的过程。她越来越歇斯底里，不可理喻了。可是现在想想她说的也对，她是自尊心那么强的一个人，我却硬要把自己的责任加在她身上，把她逼成这样，其实从最初开始就没有什么所谓的爱了……"修亚的眼里没有一丝的光彩，现在如果有人看进去，只能看到名为绝望的深潭。

"天逸……"小薇想要安慰他，却又不知如何启齿。

下面的话还没有说出口，她就发觉从门里溢出的味道有些不寻常。再想到芭儿刚刚的举动，危机感油然而生。

"修亚，快去楼下看看你家的窗子是不是都关死了，我怕芭儿她……"

修亚此时也察觉出了不对劲，迅速地下了楼。

小薇不停地敲着门，可是门里完全没有反应。这个时候修亚也已经重新上了楼，小薇看了他一眼，便明白他们家的窗子肯定也已经被关上了。

"怎么办，难道芭儿要自杀？"

小薇慌乱地问修亚，修亚掏出手机刚要拨，门突然又开了。

小薇和修亚同时被拉了一个措手不及，跌坐在门里，门再次关上，空气里充斥着刺鼻的气味。

芭儿穿着白色的裙子堵在了门口，她咧开嘴，露出一个近乎疯狂的笑容。

"要死也要大家一起死。"

07

小薇开始觉得耳鸣、头痛、恶心。她看到修亚站起来想要打开门，却被芭儿用玻璃瓶当头砸了下去，跪坐在地板上，额角流出鲜红的血液。

"芭儿，为什么？"她走到芭儿的身边，问这位她昔日最好的朋友。眼前的芭儿脸上扑了很厚的粉，化了浓妆，但仍然难以遮掩纵横在脸上深浅不一的沟壑，青黑色的眼袋，以及两颊和嘴唇的皮肤隐隐透出的樱红。

"你问我为什么吗？"芭儿的语速变得很慢，"可是你们为什么不能给我安宁呢？为什么要一再地出现在我面前，告诉我，我到底有多可怜呢？"

她指着脚边的修亚，"你根本就不爱我，根本就厌恶我的样子，你不是早就已经觉得很累了吗？还要骗我说你爱我，要和我在一起，如果你要装就装得像一点儿装得久一点儿，不要在我面前做这种一眼就可以拆穿的蹩脚戏！"

手指又转向小薇，"我也不需要你廉价的关心，你也少拿这种怜悯的表情看我，你要是真当我是朋友早就来找我了！你一直就是自私鬼！可怜虫！现在爱你的人也要死光了，你比我更可怜！"

芭儿的话仿佛炸弹从近处爆炸开来，无数的弹片刺在了小薇的心脏上，每一个角落都开始疼起来。这一刻她突然觉得她是亏欠了芭儿太多，如果她死了能补偿芭儿的话，那她情愿就这么死掉，反正她也生无可恋了。

然而，她还不能死。她肚子里还有夏汐的孩子，另一条稚嫩的生命。

"芭儿，开门！我还不能死在这里。"
"想要我开门，除非……我！死！"

芭儿眼睛里的火焰越扩越大，喷吐着猩红的狂热。
一时间不知道哪里来的力气和胆量，她掐住了芭儿的脖子。
手指不自觉地渐渐用力。
而逐渐感到呼吸困难的芭儿，眼底却浮出了异样的欢愉的神采。

08
"她死了？"

"她被我杀死了？"

09

一切都只是一场闹剧，是芭儿玩的把戏。一开始小薇他们就不会中毒，只是芭儿利用硫醇的气味制造出了假象。

其实那扇阀门从一开始就是紧紧地关闭的。

真正中毒的只有一个人，那就是在事前就吸进了大量一氧化碳的芭儿她自己。

"用你的手杀了我，是我最后送你的礼物。"

一段时间每天夜里都会见到那双眼睛，那双在呼吸停滞之后都没有合上的眼睛，在黑暗里死死地盯着她。

回家之后拆开了夏汐送芭儿的礼物，空荡的盒子里只有一个吊坠、一张照片和一封信。

吊坠是高中时小薇从芭儿家偷拿来的，不知道怎么又落进了夏汐的手里。照片是自己也有的那张夏令营时四个人的合照。信展开，并不长，只有一句话。

芭儿：
其他什么都不想多说，只是无论发生什么我们三个都永远是朋友。

夏汐

眼泪落在熟悉的字迹上，如果他还在的话，他们也不会变成这样了吧。

10

距离夏汐离开她已经整整一年了，莫小薇顺利地从 S 大心理学系毕业，原本担心会妨碍到毕业的孩子也在那次所谓的中毒事件里流产了。

没有再玩江湖，只是听说阿修罗、西夏、天羽都从江湖上消失了。有人告诉她，在中毒事件发生之前，天羽三天三夜都没有睡，打下了江湖里最大、最难攻下的城楼送给她。

还薇城。是天羽给那座城起的名字。

他在那城下守了一夜，但却没有等到他的妙薇仙子。

艾伶司说要回国找她，不过不知道是否还能见得到面。

因为小薇已经收拾好了所有的东西，准备动身离开了。今天她就要离开这座蕴藏了太多悲喜与记忆的城市，踏上新的旅程了。

经历了这么多的事情，她才学会了什么是"放下"。

可是她却没办法学会"忘记"。

她关上那间熟悉的房门，走下楼梯，门口立着一个人。

逆着光，看不清楚样子，却能分辨出脸上淡淡的笑容。

"今天是个适合出发的日子呢。"小薇对那个人轻轻地点了点头。

笑容似乎是又扩大了一些，那个人转过身，和小薇一起走入了光芒之中。

随想曲

　　随想曲（Caprice）又称奇想曲、异想曲，其性质近似幻想曲，也是结构自由、大小不定，指一种富于幻想的即兴性器乐体裁，有赋格式、套曲形式。

01

　　我叫做周谨，是 S 大一年级英语系的新生。我得承认，我在这所学校里没有什么朋友，原因就在于我是一个杰出的情报工作者。对于别人不想被外人知道的事情往往会比当事人还清楚。

　　所以其实我也一直很奇怪伊修亚能和我顺利交往到现在。

　　咳，别误会，此交往非彼交往，这个伊修亚，就是我在这所学校里唯一的死党。

　　我一直认为我的情报能力已经达到了绝顶高手的阶段，可是自从莫小薇学姐给了我那小子的 MSN，我就彻底地发现我败了。

　　对于大洋彼岸那个叫艾伶司的小鬼来说，我根本是小巫见大巫。

　　说到这里就必须先提下，高年级里和我最熟稔的学姐莫小薇。她是一个很可爱的女生，尤其是笑起来的样子。怎么说呢，就像我们小时候常看的童话绘本里的小仙女（不好意思我就是形容词汇贫乏），非常的纯粹，好像没有什么烦恼似的。但是除此之外，我觉得就很普通了。相比较而言，我更喜欢小薇学姐的室友媛媛姐，虽然是娃娃脸可是那身材多丰满、多性感，那才叫 hot，叫 sexy。

艾伶司非要说我眼光有问题。

我不承认，他当天就把我的电脑给黑了。

不过喜欢小薇学姐的人确实很多，和我关系不错的就有三个（这个世界上和我关系不错的人还真不多）。一个是别所学校的男生叫夏汐，我都喊他汐哥，他是我生平最佩服的人之一，因为他追小薇学姐追了十四年了居然还没有放弃；另一个就是我的死党，伊修亚，不过一开始我还真没看出他原来是闷骚型，明明喜欢得不得了，表面还是冷冷的，也不知道他要搞什么鬼；还有一个就是我现在的师傅艾伶司，人小鬼大，不过这小子绝对是个天才，如果他也在国内的话，我看汐哥和修亚就没什么搞头了。

但是修亚有一个有利条件就是他长得和学姐的初恋很像，可以到被错认的程度。你说这叫什么事，为什么我就不能和布拉德·皮特长得像呢。而且很显然，学姐也不能忘记她那个初恋。于是就好像肥皂剧里常常拍的，他们两个就开始纠结了。

那次拖学姐陪我去跟踪修亚，哎，先说明，我也是为了学姐好才决定跟踪的。因为修亚那小子居然瞒着我交了女朋友还和女朋友同居，还好那天去他家给我拍到了证据。

我们一直跟到一个诡异的电影院。听学姐说是电影爱好者们自己组织的那种影院，看来，这个世界上我不知道的事情还有很多。

我的信条一向是舍不得孩子套不住狼，我们买了修亚同一排旁边的两个座位。反正电影院黑灯瞎火的，什么也看不到。

可是这次我失算了，学姐居然哭了。哦天，我还是第一次遇到女孩子在我面前哭，完全没了主意。而且之后更戏剧化的来了，一个电话让我们在修亚面前彻底地暴露了。

不过通过那个电话我才知道，原来学姐也玩"江湖"，还是我们工会的老大妙薇仙子，这个世界也太小了！同时我也完全理解了，为什么学姐大学三年都没有找男朋友，玩游戏玩到工会老大程度的女生哪还有时间谈恋爱。

我对学姐产生了新的认识。

那天我们工会被人打了，对方是个叫天羽联盟的新崛起势力。不过很显然那个天羽公子是醉翁之意不在酒，在乎于泡我们的老大。

虽然小薇学姐在学校的样子还是很普通的（好吧，她是获得过 S 大公主的称号），但是在我们服务器可是天字第一号美女啊，而且还是第一高手，绝对是只可远观而不可亵玩焉的仙子。而且是个人都知道只有快剑西夏（我也领悟了那就是汐哥）入得了仙子的法眼，那个天羽公子算哪根葱，怎么也敢公然挑衅。

我第一个怀疑的对象就是艾伶司，鉴于他是我的师傅，功力又比我高上许多，所以我也不浪费时间，就直接问他了。

艾伶司很爽快地承认了他也在玩江湖，不过他不是天羽公子，而是江湖上和我们忘忧谷并称两大势力的修罗场的老大阿修罗。

我说，小伶师傅啊，你平时都不用念书的吗？这么厉害？有时间管理工会吗？

艾伶司回我说，笨蛋，管理工会是用脑，而不是用时间。知道什么是效率吗？

然后他就很有效率地入侵了江湖的数据库，查出了那个天羽公子的 IP 地址，我一看，天哪，居然和修亚家的 IP 地址是一样的。

可是修亚显然是对网络游戏兴趣很缺乏的，别说工会战了，连副本是什么他都不知道。上次看我打江湖，他差点儿都睡着了。如果是装出来的话，那他应该能拿金鸡百花奖了。

但如果不是修亚的话，难道是他那个神秘的女朋友。

他女朋友也太怪了，要泡小薇学姐算是怎么回事？

这件事我还没有来得及搞清楚，小薇学姐的生日就要到了。

我问艾伶司礼物准备得怎么样，他说早就托国内的人买好了，今天应该会送到小薇学姐那。

我说，你何必多此一举，做个网页或者程序送给她不是很方便吗？

他说，这你就不懂了，虚拟的东西要送，实体的东西也不能少。这叫两手抓，两手都要硬。

之后马上做了个灌水器，把江湖论坛的所有版面都灌满了"祝妙薇仙子生日快乐"的帖子。顺手还黑了江湖的官网，把小薇学姐生日的消息搞了一个最大、最醒目的版面。据那时截图留念的哥们儿说，那叫一个壮观啊。

妈的，我就说这小子是个天才。

自从知道了修亚有个同居女友之后我就一直让把女朋友介绍给我看看，不过每次都被他非常坚定地拒绝了，连一点儿余地都没有。不过这反而激起了我作为情报工作者的兴趣，我非常注意地"旁听"他接的每一个电话（这确实有点儿变态，不过作为

007 的同行，这是必需的），我发现，修亚常常在和她的女友吵架，每次吵完都会露出很痛苦、很无奈的表情。

他叫他的女朋友"小亚"，哎，真让人羡慕，什么时候我也可以直接叫媛媛姐小媛媛呢？

至于那个天羽已经几乎完全可以确定就是修亚的那个女朋友了。因为我曾经在他上线的时间把修亚骗出来过。不过天羽公子对小薇学姐可以说是超级好的，几乎到了有求必应的地步，我简直要怀疑修亚的女朋友其实是女同性恋？怎么说的来着？蕾丝边？

我很快把这个事汇报给了小伶师傅，他一听修亚的女朋友叫小亚似乎就全明白了。
"原来是那个人啊？"
"哪个人啊，你说清楚点儿啊。"
"说清楚你也不知道。"
不过那以后小伶师傅就不大去挖天羽的墙脚了。

02

我叫做周谨，是 S 大二年级英语系的新生。之所以要重新做一次自我介绍，主要是因为一年已经过去了，我顺利地摆脱了学校"最底层"的身份。

过去的一年里发生了很多事，比如小薇学姐和汐哥回故乡去旅行，比如同一时间修亚的神秘失踪，比如小伶师傅说了几次要回国都被家里给拦住，比如我策划的那次登山之旅……

说实话我一点儿都不想回想起那次登山的旅程。台风、暴风雨、泥石流……

幸运的是所有的人都平安无事，而媛媛也在那次生死考验之后决定和我在一起。我可是在她差点儿失足掉下悬崖的时候，命都豁出来地救了她，其实我也不知道自己当时哪儿来的勇气。

小薇学姐说是因为我总是傻乎乎的。而小伶师傅说，人在生死关头，发生点儿奇迹很正常，不过你可不要指望再发生第二次。

尽管我也看得出小薇学姐从那次登山回来就和修亚的关系变得有些暧昧，但是修亚是有女友的，而小薇学姐也有汐哥一直在身边，所以尽管他们之间的气氛有些改变，但也仅限于气氛的改变而已。

只是我没有想到汐哥就那么突然地离开了……走得完全没有一点儿预兆。

我想如果我是小薇学姐，我也一定无法接受这个事实。十五年，尽管无法体会这个词语代表的确切概念，但是我知道，那些都是什么也无法取代的人生里最弥足珍贵的时间。

媛媛知道了这个消息哭得很凶，交往这么久我都没有看到她哭过，可是她这次哭得比我所看到的任何女人哭都来得要凶很多倍。虽然这么说，其实我也只看过三个女人哭。小薇学姐、媛媛、还有我妈……

我知道汐哥是媛媛心中好男人的典型，其实媛媛是有些喜欢汐哥的。

其实我一直在想，如果我死了会不会有人为我哭，因为汐哥的追悼会来了很多人，每个人都在为他哭。我也会为他哭，因为我也喜欢汐哥这样个性开朗，只对自己认定的事情很执著的人。但是会有人为我哭吗？为我这个情报工作者。

"你傻了？想这个干什么？"

"就随便想想。"

"有！别想了，我会哭的……另外建议你不要拿这个问题去问你的女朋友。"

我突然发现小伶师傅也有体贴的一面。

小薇学姐被检查出了怀孕，小伶师傅打定决心要回国，他说这次他是来真的，一定会回来，他要回来做小薇学姐的支柱。

结果他还没回来就发生了那次煤气中毒事件。

事后我听媛媛说其实房间里没有开煤气，只是修亚的女朋友故意弄出了煤气的味道骗小薇学姐和修亚，而那个疯狂的女人已经在事前吸入了大量的有毒气体。没人知道那天房间里具体发生了什么，只是最后的结果是修亚的女朋友死了，修亚被打伤了头，而小薇学姐的孩子也没了。

"芭儿学姐真是聪明。"小伶师傅知道以后是这么评价她的。

"我不明白……"

"她自己的人生已经毁了，那个人也不爱她了，与其等着时间把感情腐坏，现在这样也不失为一种很聪明的做法。她一生就爱过一个人，而那个人的一生也已经无法摆脱掉她的影子了。"

"是这样吗？那她在游戏里做的那些又是为什么，总觉得她很奇怪。"

"其实我盗了她在江湖的号，她还有一封给妙薇仙子的信没有寄出去。你想知道是什么内容吗？"

"废话，当然想知道。"我发现了，搞情报工作的人都喜欢吊人胃口。

小伶师傅把那封信的文本发给了我，是这样写的：

小薇：

你觉得怎样的羁绊可以蔓延十四年，亲近得仿若骨血？

喜欢她，喜欢她的纯真和善良，软软的牵动人心的温柔。

忌妒她，好像那些黑暗与虚伪都进不去她的心里。样样都不如我的她总是能轻易得到别人的喜爱。

你像那样的她。你们名字里都有一个薇字。

她是我最好的朋友，我叫你的名字就如同叫她。

小薇。

小薇，你可曾体验过被黑暗吞噬。好痛，好痛，右半边的脸如火灼一般，像有千百根刺插进了大脑。神经都不受自己控制般抽痛起来，那么灼热，似乎下一刻脑壳就要破裂开。

撕心裂肺的痛叫，满手的鲜血淋漓。右手的触感不再是柔软嫩滑，取而代之的是横生的肉刺，翻卷的皮肉，如枯败的老树般的斑驳。

镜子前的那张恶鬼一样的脸，是谁？

我不愿去想，却又无法不去想。

只有那个温柔的声音，能为我驱散黑暗和痛楚。他会轻柔地在我耳边呼唤，他会说，有我呢，我会一直在这里的。一直在你身边，陪着你。

只是为了那个声音，我也付出了我所有的人生。

我曾暗自感谢过那个事故，为我带回了曾经以为永远失去了的他。离开家，和他住到了一起，顺理成章。因为事故，我休学了。那些惊慌害怕、好奇或者怜悯的目光都是我不能忍受的。他推迟了两年的学业,陪伴我康复,我们的世界里都只有彼此,时间仿佛回到了过去。对于过去,对于她我们绝口不提。如果失去半张脸可以得到他,我甘之如饴。我回避着外面的一切。我的世界已经狭小得只剩一套租住的房子,一个他了。可是他的世界却再一次和她产生了交集,或者其实他们的交集从来就没有消失过。

这样的生活仅仅过了一年,他就再次遇见了那个小薇。

我可以对那一年里他常常地恍惚出神视若无睹,可以忽略他越来越频繁的叹息,容忍他对我那种心理上的疏离。当他看着我时,曾经的那种炙热的光芒在暗淡,曾经那么亲密过,我又怎么不知道。但是他现在是在我身边的,还有什么比这更重要。

可是我却连这仅有的也留不住了。

只有我知道,自己的心是多么的黑暗晦涩,仿若永远射不进阳光的泥沼,渐渐腐坏。忌妒和猜疑就像一颗种子,即使被种在再贫瘠的土地,再恶劣的环境中,都能茁壮成长。那是一种避光植物,将我拖入越来越深的黑暗。四年的时间,它已经长得根深叶茂、盘根错节,牢牢地包裹着我的心。

其实不想讨厌她,曾经最好的朋友。可是当我看见她和他在一起,他的欢笑因她而起,我是多么痛苦!仿佛置身冰窖,心脏就像被一只大手狠狠抓住,越捏越紧。有那么一刻,真想,真想就这么撕破她那无知、天真的脸,看着她的痛苦,让她陪我一起痛苦。

我很了解她,即使过去四年,那份本质里的单纯和固执也不会变。

想让她痛苦,或许是因为一个人痛苦太寂寞了。

小薇,你一直很奇怪我为什么对你这么好。

其实连我自己也不知道。

只知道一切都是因为她,或许是想在你的身上补偿。

无论你要什么都给你,看到你开心,我就仿佛得到了原谅。

我是不是很可笑,做了这么多坏事还在惧怕她说,我讨厌你。

小薇,抱歉骗了你这么久,其实我和你是同性。

但我喜欢你是真的，只有你能让我毫无顾忌地说话，像回到了过去和好友们在一起的时候。其实我也一直很喜欢总向我挑战的西夏和阿修罗，当然最喜欢的还是你。

只有和你们在一起的时候，我才觉得自己活得像一个真正的人；只有在这样的游戏里，我还有我的尊严。

最后送"还薇城"给你，只是想对小薇做最后、最大的补偿。因为我恐怕要对她做一件最残忍的事，以后也不会再玩这个游戏了。

我的事情，只想告诉你一个人，请帮我保密好吗？

谢谢，再见。

天羽

看完这封相当长的信，我久久不能言语。直到小伶师傅问：

"觉得如何？"

"你给小薇学姐看了吗？"

"没有，我不会给她看的。"

"为什么？"

"她要是看了说不定就原谅芭儿了。"

"不该是原谅自己吗？怎么是芭儿。"

"你还真是笨，小薇现在是恨芭儿的，恨得要死，恨她逼自己杀她，恨她害自己的孩子流掉。因为芭儿对她来说太过重要了，所以才会恨。因为恨所以不会忘记，会变成背负一生的负担。不然她也不会想要离开了。"

"……好复杂啊，那让小薇学姐原谅芭儿又有什么不好？"

"当然不好，我就不能充当安抚她心灵的角色了。现在聂天逸正好无法接近她，我可以乘虚而入。"

"你好自私。"

"爱情都是自私的。"

03

我叫做周谨，是S大三年级英语系的新生。最后做一次自我介绍了，时间真的过得很快。

小薇学姐毕业了，离开了 S 城。而已经回国的小伶师傅和还没有毕业的修亚也同时从这座城市里消失了。

我想他们要是三个人碰在了一起也一定是件挺好玩的事，不过那三个无情的人都完全没有和我联系。

说起来，他们走的时候我正好换了新的手机号码。

不妙，好像忘记留给他们了……

–The End–

2010 年上海柯艾文化传播有限公司畅销书排行榜

排名	书名	作者
1	小时代 2.0 虚铜时代	郭敬明
2	小时代 1.0 折纸时代	郭敬明
3	悲伤逆流成河	郭敬明
4	幻城	郭敬明
5	西决	笛安
6	悲伤逆流成河（新版）	郭敬明
7	被窝是青春的坟墓	七堇年
8	全世爱	苏小懒
9	澜本嫁衣	七堇年
10	不朽	落落
11	须臾	落落
12	全世爱 II · 丝婚四年	苏小懒
13	尘埃星球	落落
14	N. 世界	郭敬明 年年
15	任凭这空虚沸腾	王小立
16	浮世德	陈晨
17	大地之灯	七堇年
18	四重音	消失宾妮
19	直到最后一句	卢丽莉
20	第一届 "THE NEXT · 文学之新" 新人选拔赛作品集 . 上	郭敬明 主编
21	大地之灯（新版）	七堇年
22	琥珀	年年
23	白色群像	肖以默
24	当我们混在上海	叶阐
25	青春白恼会 vol.1 恋爱零突破	千眉 爱礼丝 阿敏

C A S T

恋爱习题与假面舞会

作者
爱礼丝

选题策划
郭敬明

选题出品
金丽红 黎 波

项目统筹
阿 亮 痕 痕

责任编辑
陈 曦

助理编辑
汪 军

责任印制
张志杰

封面设计
adam.X

封面插画
蜉 蝣

版式设计
Fredie.L R.Jobim

出版社
长江文艺出版社

出品
上海柯艾文化传播有限公司

官方论坛
http://www.zuibook.com/bbs

平台支持
最小说

CASTOR

新出图证（鄂）字3号

图书在版编目（CIP）数据
恋爱习题与假面舞会 / 爱礼丝著 武汉：长江文艺出版社，2010.05
ISBN 978-7-5354-4407-3
I. 恋… II. 爱… III.长篇小说–中国–当代 IV.I247.5
中国版本图书馆CIP数据核字（2010）第066904号

恋爱习题与假面舞会 爱礼丝 著

新浪读书强力推荐！

选题策划：郭敬明
选题出品：金丽红 黎 波
项目统筹：阿 亮 痕 痕
责任编辑：陈 曦
助理编辑：汪 军
装帧设计：柯艾文化
媒体运营：赵 萌
责任印制：张志杰

出版：湖北长江出版集团　　　　电话：027-87679301
　　　长江文艺出版社　　　　　传真：027-87679300
地址：湖北省武汉市雄楚大街268号湖北出版文化城B座9–11楼
邮编：430070
发行：北京长江新世纪文化传媒有限公司
电话：010-58678881　　　　　传真：010-58677346
地址：北京市朝阳区曙光西里甲6号时间国际大厦A座1905室
邮编：100028
印刷：三河市鑫利来印装有限公司

开本：700×1000毫米　1/16　　　印张：14.5
版次：2010年5月第1版　　　　　印次：2010年5月第1次印刷
字数：220千字

定价：22.80元